너는 내 세상이었어

너는 내 세상이었어

발 행 | 2023년 04월 17일
저 자 | 김나현
펴낸이 | 한건희
펴낸곳 | 주식회사 부크크
출판사등록 | 2014.07.15(제2014-16호)
주 소 | 서울특별시 금천구 가산디지털1로 119 SK트윈타워 A동 305호
전 화 | 1670-8316
이메일 | info@bookk.co.kr

ISBN | 979-11-410-8130-0

www.bookk.co.kr

너는 내 세상이었어

김나현 지음

CONTENT

제1화 너는 내 세상이었어

언젠가 내 과거와 내 병들을 다 알고도 나를 감싸주고 안아 주고 이해해 주는 사람을 만나고 싶다.

내 과거의 실패들과 아픈 병들.

제때 먹어야 하는 약들과, 약들로 인해서 오는 부작용들 하루하루 기분이 수시로 바뀌어 나조차도 감정 조절이 힘들 때, 그런 나를 위로해 주고 기대게 할 수 있는 든든하게 우뚝 서있는 누군가가 있었으면 좋겠다.

내가 아파서, 내가 실패해서 떠나갈 것이라면 아예 오지도 않았으면 내 곁을 스치지도 않아 주길, 부디 나와 엮일 일 없이 그렇게 사라져 지나가줬으면 좋겠다.

그러기 위해선 내가 혼자 우뚝 설 수 있을 만큼 강해져야 한다. 약에 의존하지 말고,

나 홀로 할 수 있는 내 병을 치료할 모든 것들. 감정이 소용돌이처럼 돌고 도는 내 기분을 바로잡을 방법들을 생각해야 한다. 고쳐내야만 한다.

내 병을 큰 병이라고 생각하지 않기로 하자.

완치될 수 있는 그런 의지가 있는 병. 그리고 이미 지나간 과거는 지나치게 놔두자. 과거는 돌릴 수 없는 법. 방법은 똑같은 실수를 하지 않는 것이 과거가 준 의미 있는 선물들과 경험들이다. 그러니 그냥 지나가게 놓아두는 것이 좋은 방법이기도 하다.

과거의 실패, 과거의 죽음, 과거의 이별, 과거의 슬픔, 과거의 증오, 모두 다 과거의 것들 과거 안에 갇혀 살아 아무것도 하지 않은 채 떠나지 못하면 난 그저 그렇게 과거에 갇혀 있는 사람이 되어 있는 거다. 아프게도

그러니 과거의 모든 감정들은 아플 만큼 충분히 아파하고 슬퍼하고 아직 남은 미련들, 못 버린 기억들 과거에 다 던져주고 오자. 우리는 오직 현재와 미래만 사는 것이다.

미래와 현재. 너는 내 세상이었지만 그것 또한 과거였으니 내 세상이었던 네가 이제 가야 할 차례가 된 거다.

이렇게 과거로부터 벗어나고 현재로 돌아와서 내가 할 수 있는 건 무엇이 있을까?

무너져 있는 채로 시작되어 과거들을 버리고 다시 일어선 나에겐 내 감정을 조절할 방법을 찾아내는 게 먼저라는 생각이 든다.

언젠가 내 모든 과거와 병들을 알고도 나를 감싸주는 사람을 만나기 위해선 내가 그 병들을 감싸고 과거들을 보내주는 것이다. 바로 내가 그 누군가가 되어보면 되는 것이다.

'아 나는 내 과거의 상처가 너무 크고, 지금까지 감정 조절이 어려워 하루하루가 힘들고 불안한 채로 지나가지. 맞아 난 그런 애였어' 하며 인정할 것.

인정하지 않는다고 내가 그런 애가 아니라는 증거는 없다. 반면, 인정해야 할 증거들은 너무나도 많고 많다

그렇게 내 기분, 하루에도 수백 번씩 바뀌는 감정들을 인정하고 내 스스로 알게 한 후 틀린 게 아니라고, 남들과 다른 것뿐이라고 안심시킨 후 감정을 받아들이면 된다

처음 알게 된 과거를 보내주는 연습을 한 후 이제는 감정을 받아들이는 연습을 하는 것이다.

이렇게 차근차근 연습하다 보면 홀로 우뚝 서있는 나를 발견하게 될 것이다. 혼자서도 단단하고 흔들림 없이 강해진 내 마음가짐들. 나 홀로 서있는 게 전혀 무섭지 않

을 때 나는 그제야 내가 사랑을 주고, 사랑을 감싸주고, 상처를 감싸줄 수 있는 그런 사람이 되고 말 것이다.

세상에 완벽한 사람은 없지만 부족한 사람이
되지 않도록

과거를 통해 배울 건 배우기, 버려야 할 건 미련 없이 버리고 오기. 현재를 통해 미래로 향해 나가기.

자, 이제 무너져 있지 않아도 괜찮아. 다시 일어서자.

제2화 다섯 번째 계절

사계절

마음을 너무 많이 주지 말 걸. 네가 봄 여름 가을 겨울이던 마음은 주지 말 걸 내가 줬던 모든 게 너무 커져서 나에게 악몽으로만 다가오니까 너 없는 봄은 더 이상 예쁜 꽃놀이를 할 수 없고 너 없는 여름은 더 이상 재밌는 바다 수영하러 갈 수 없고 너 없는 가을은 선선한 가을바람 느끼며 놀러 갈 수도 없고 너 없는 겨울은 아무것도 못해.

사실은 사계절 내내.

두 번째 과거의 이야기이다. 처음 책을 쓰고 사계절을 통해 내 생각을 나타낸 글귀다. 역시 시의 주인공 없이는 사계절을 보낼 수 없었던 나는 생각과는 다르게 잘 보내고 있다. 이게 바로 지금 현재라는 것이 중요하다. 과거는 과거일 뿐

내가 그때 글귀를 쓸 때 느꼈던 기분은 그저 과거. 과거의 아픈 기억들은 다 잊고 내가 잠시 슬퍼지려 할 때 그럴 때만 꺼내 보다 눈물이 멈출 때 다시 원래 자리로 되돌아가게 해두자.

너 없이도 나는 다섯 번째 계절을 보내고 있어서 행복한 요즘이야. 사계절 내내 아무것도 못할 줄 알았지만 이젠 과거가 돼서 새로운 계절로 꽃피운 내 다섯 번째 계절이 있어.

이제 다시 향기롭게 시작하는 거야 원래의 나처럼.

별

우리는 별들이 잘 보이는 곳에도 갔었어.

너무너무 예쁜 곳이었지.

왜 그런 예쁜 곳을 데려가서 못 잊게 하는 거니

수많은 별들과 네가 알려준 별자리들

떨어지는 별똥별들

너와의 잊지 못하는 또 하나의 기억.

이것 또한 과거의 썼던 글귀이지만, 내가 사랑하는 글귀이기도 하다. 과거의 아픈 기억만이 담긴 내용이지만 그곳을 실제로 가서 경험했던 나는 정말 아름다운 밤하늘과 별들을 잊지 못한다.

과거의 내용이지만 이렇듯 좋지 않은 과거만 있는 것이 아니다. 나에겐 좋은 경험이 되었을 과거였을 것이다. 그렇게 아름다운 곳을 같이 갔었으며, 그런 것들에 감사함을 느껴야 한다. 과거는 과거에 버리고 오라고 했지만 이 글귀만큼은 버릴 수 없는 이유이기도 하다.

언젠가 내 모든 것들을 감당할 수 있는 사람을 만나기 위해, 내가 그런 사람이 될 수 있을 때쯤. 이 글귀는 영영 내 머릿속에서 떠나지 않고 머무를 것 같다. 아름다운 밤하늘과 반짝반짝 빛나는 달, 떨어지는 별똥별들, 하늘을 올려다볼 때

마다 온통 수많은 여러 종류의 별들만 있었던 그날.

나도 언젠가 새로운 사람을 만나게 될 수도 있지만 두 번 다시 이런 아픈 경험을 하고 싶지 않아서 만날 수 있을지 고민이 된다.

하지만 이것 또한 나의 헛된 상상일 뿐 뭐든 부딪혀봐야 알듯 새로운 사랑이 오더라도 내 상처 때문에 돌아서거나 쉽게 이별을 말하지 않은 날들이 오길 바란다.

글귀의 내용처럼 다 아무것도 안 본 모든 게 처음인 거처럼 새로운 사람을 만나겠지만 그리고 만나고 싶지만 비슷한 사람과 만나는 게 좋을지는 모르겠다.

과거의 연인에 매달리며 과거 연인의 모습을 다 지우지 않고 살아가는 게 나 홀로서기가 힘든 이유가 되기 때문이다.

그러니 정리할 모습을 굳이 다시 떠올리지 말고 새로운 사람 그대로의 모습을 바라봐 주자.

언젠가 너에게도 내가 매력적이고 놓치기 싫었던 사람이었듯이 앞으로 만나게 될 내 사람도 나를 그렇게 보겠지만 말이야.

난간

난간 위에 올라가 앉아 있을 때

내가 더 이상 무서울 게 없어서 한없이

한강을 쳐다보고 있었을 때

나는 내가 정말 떨어져 버릴까

너무 걱정이 됐었고 두려웠어

이대로 내가 사라져 버리는 게 아닐까 하고.

지금 와선 내 모든 감정들이 잔잔해진 게

다 난간 위에 가봤어가 아닐까 싶어

그게 어떤 기분인지 가본 사람만이 알겠지.

나는 난간에 올라가기까지 그리 시간이 오래 걸리지 않았다. 그날도 여느 때처럼 카페 근무를 마치고 카페에서부터 울며 불며 일을 끝내고 곧장 집으로 갔었다.

그리고 옷을 갈아입고 내 주민등록증과 카드와 핸드폰만 챙기며 택시를 타고 대교로 향했다. 하루 종일 마음이 착잡하고 고통스러웠다. 그리고 한참을 대교를 걷다가 걷다가.

중간 근처쯤 난간에 올라가 앉았다. 친구들과 경찰들의 전화가 엄청 울렸고 모르는 번호 전화 한 통화를 받았다.

한참을 어두운 강을 바라보고 있으니 너무 무섭고 죽고 싶지 않아서 울면서 전화를 받으며 나 구해달라고 무섭다고

펑펑 울었던 것 같다.

하지만 이젠 난간에 올라갈 생각도 들지 않고 그때의 기분은 아직도 마음이 쓰라리지만 두 번 다시 도전하지 않을 것

이다. 이것 또한 과거의 경험으로 인해 하지 않아야 하는 일이라는 것을 배운 것이다.

이로써 내 모든 감정들이 잔잔해진 경험이었다.

사과향

어느 순간부터 애정표현을 갈구하는 나는 마치

너를 혼자 짝사랑하는 애 같았어.

너에게 귀찮은 짐 같은 애 되기 싫었는데

내가 그런 존재가 되어버린 거지.

네 무관심이 나를 슬프게 했어도 난 내 감정

숨길 수 없었거든.

네가 나에 대한 감정이 식었을까 봐 변했을까 봐

항상 마음 졸이며 눈물 흘리며 잤던 거 너는 알까?

내 마음을 못 이긴 죄였을까.

이 글귀는 봐도 봐도 언제나 내 마음을 아리게 하는 글귀이다. 분명 사귀고 있는데 혼자 연애하는 기분. 상대방이 변한 걸 아는데 인정하기 싫어서 혼자 발버둥 치는 기분. 내가 하는 행동 하나하나가 그에겐 귀찮음을 느껴졌을 테지. 그걸 다 알면서 모르는 척 눈물만 흘렸던 기억이 난다.

사람의 감정이 변한다는 것은 그만큼의 인연이었고 그만큼의 사람이었던 것이다.

나를 좋아하는 정도가 그만큼이어서 변한 것이다. 변한 것이 아니라 원래 좋아하는 정도가 그 정도였다. 이렇게 생각하면 조금 더 쉽게 이해할 수 있지 않을까 싶다.

그냥 그만큼 날 좋아했었던 사람

하지만 지금은 아닌 사람. 다시는 이런 기분 느끼기 싫어 사랑이라는 게 참 쉽지 않다는 걸 느끼는 요새이다.

다신 이런 사랑하고 싶지 않다 가도 또 좋았던 모습이 생각나면 어느 순간 하기 싫다는 마음도 잊은 채 또 간직하고 생각해 내는 이 마음. 알 수 없는 사람의 마음이다.

제3화 과거

후회

약에 취한 상태에서도 나는

너에 관한 얘기만 썼다.

친구들은 그런 쓰레기 잊으라고 하지만

너는 나에게 쓰레기가 아닐뿐더러 잊기 싫었다.

만약 널 만나기 전이라면 모를까

둘이 있을 땐 행복하고 좋았으니까

그걸로 난 됐다.

후회는 너의 몫이다.

약에 취한 상태에서도 나는 그에 대한 얘기만 썼다. 마음이 너무 아픈 구절이다. 친구들은 진작에 잊어버리라고 빨리 정리하라고 했지만 나에겐 정리가 안됐었다. 그 사실이 나를 미쳐버리게 만들고 더욱더 힘들게 만들게 됐었다.

과거는 과거로 흘려보내야 하는데 그걸 할 수 없어서 답답했던 마음들과 행동들.

말로는 잊었다고 정리했다고 하지만 사실은 하나도 정리되지 못한 내 마음들과 행동들.

입원해 있으면서도 보고 싶고 목소리가 듣고 싶어서 울면서 서러워하던 날.

이게 모두 다 과거의 사람을 정리하지 못하고 현재까지 몰고 와 나를 힘들게 했던 사실이다 그래서 3장의 제목은 과거다. 이제 과거로부터 벗어남으로 나는 현재를 살아간다. 책도 쓰고 운동도 하고 나의 원래 생활패턴으로 돌아왔다. 그리고 둘이 있었을 땐 행복했었던 것이 사실이니까. 그 사실만은 받아들이고 사는 걸로 하자. 행복하고 좋았던 기억만 가지고 지금을 살아가도록 노력하는 게 훨씬 더 좋지 않을까 싶다.

그리고 나에게 쓰레기가 아닌 그가 누군가에겐 쓰레기라 불리며 욕먹는 모습도 나는 속상했다. 언젠가 날 버린 그를 나조차도 나쁘다며 왜 나한테 나타나서 그런 행동을 한 것인지 물어보고도 싶었고 화내고 따지고도 싶었지만 사람 마음이 변하는데 이유가 있을까.

그냥 그 정도의 인연이었기 때문에 변했던 것인데 그걸 인정하지 못해서 생긴 일 아니었을까?

시간

어느 정도 시간이 지나면

너와의 추억도 끝이 나겠지.

나도 다른 사람 만나고

너도 다른 사람 만나고

그렇게 서로 없었던 사람 되겠지

당연한 일인데 정말 그렇게 되면

너무 슬플 거 같아.

혼자 보내는 시간이 적길 바라면서도

난 다시 둘이 되는 게 무섭기도 해

똑같은 일 다시 생길까 봐.

시간이 지나면 그도 나도 당연히 다른 사람과의 만남을 새롭게 시작하고 있겠지. 그 사실을 인정해야 하는데 인정하기 싫었고 인정하기 힘들었던 나의 마음들.

그리고 똑같은 일이 일어날까 봐 새로운 사랑을 쉽게 시작하기도 겁났던 나는 앞으로 어떤 사람을 만날 수 있을 것일지도 모르겠고, 내 아픔을 전부 감싸줄 수 있는 사람을 만나고 싶단 생각이 들다 가도 그런 사람을 만날 수 있을까 싶은 생각이다.

다시 둘이 되기가 무섭기도 한 내가 다시 둘이 될 수 있을까? 그때가 오기만을 충분히 기다려보면서, 나의 마음가짐을 다시 잡으며 생활해가겠지.

혼자 보내는 일이 적길 바라면서도 둘이 되기가 무서운 나는 앞으로 어떻게 될 수 있을까.

눈물자국

밤새 누워 하염없이 눈물을 흘리며 이불을 발로 차고, 너무 괴로워 힘든 목소리를 내뱉고, 베개에 눈물자국이 남을 때까지 그리고 머리가 아플 때까지 울고 나면 기운이 다 나가 그렇게 잠들기도 했어. 울며불며 나 혼자 발버둥을 치는데 어찌나 마음이 아프던지, 너무 슬퍼서 죽을 것만 같았어. 되돌릴 수 없는 시간이기에 그저 아파야만 했던 내 모습이 다시 치유될 수 있을까?

하염없이 울다 보면 어느새 기분이 조금은 나아진다. 아프면 울고 싶은 만큼 울고, 힘들어할 만큼 힘들어하고, 술도 마셔보고 친구들도 만나보고 멀리 여행도 떠나보고 하지만 그럴 힘조차 없을 때 그저 우는 거 말곤 방법이 없겠지 싶다.

그럴 힘조차 없을 때 그저 누워 울고만 있어도 괜찮다. 다 울고 나면 방법이 생길 것이다. 마음적으로 괜찮아지는 건 분명하고 현실을 자각해 다시 일어설 힘이 생기기 때문이다.

그러니 충분히 아파할 만큼 아파하자. 울어도 된다.

괴로움

아름다웠던 기억과 추억 모두 사라져 간다.

내 기억 속에서 행복했던 모습들이 사라져 간다.

괴로운 기억을 가져가야 하는데

언제까지 날 괴롭힐 생각인지

끝까지 부정적인 생각들이 날 놓아주질 않는다.

끝

내가 저세상 끝까지 무너졌을 때, 아파하고 있을 때 그때 날 잡았던 사람들, 가족들과 친구들, 나를 위해 편지를 써주고 나를 위해 병원 면회를 와주고 내 통화를 기다리면서 내가 잘 있는 건지 걱정에 섞인 말들과 퇴원하자마자 보고 싶었다며 바로 만나자던 친구들. 고생했다고 전보다 많이 밝아졌다고 안심하는 내 가족들과 언제나 내 머릿속 깊숙이 박혀 생각나는 무지개다리를 건넌 내 작은 강아지. 내가 벼랑 끝에 있어도 날 놓지 않을 사람들.

그 사람들이 있기에 내가 다시 일어설 수 있는 게 아닐까 한다. 그런 사람들에게 감사함을 느끼며 이제 그만 과거의 괴로운 기억 속에서 빠져나와도 되지 않을까?

제4화 수국

어떤 꽃은 푸르게 자라고 어떤 꽃은 붉게 자란대.

그게 수국이라는 꽃이야.

그래서 꽃말이 변심이래.

그럼 네 마음은 뭐였을까? 변심인 거 아는데

왜 마음이 변했을까? 이유를 생각해 봐도

변하는 건 없지만

내가 좋아하는 꽃이 싫어지는 기분이야.

수국은 흙에 따라 푸르게도 피고 붉게도 자란다. 그래서 꽃말이 변심이라는 꽃인데 내가 좋아하는 꽃이기도 하다. 난 특히 푸른색 수국이 너무 예뻐서 좋아한다. 꽃말이 변심인 것도 좋다. 그래서 그와 사귈 때도 수국을 발견하곤 푸른 꽃을 마구 찍어 댔던 기억이 있다.

하지만 그와의 이별은 그의 변심이었기 때문에 수국이 싫어지는 기분이 들기도 했다. 왜 변심인 걸까 무슨 이유 때문에 내가 싫어진 거고 헤어짐을 말한 걸까 이유도 없이 변심이라는 꽃말을 가진 수국을 미워하기도 했다.

변심이 된 이유는 아무것도 없다

사실 그냥 마음이 없어진 것 그뿐인데 그걸 인정하기까지 오랜 시간이 걸렸을 뿐 이제는 안다. 그의 마음이 변한 이유는 그리 중요하지 않다는 것을. 같은 실수를 하지 않는 것이 중요하다는 것을 알아야 한다.

어둠

어둠에서 벗어나서 밝은 세상으로 가기까지 너무 오랜 시간이 걸렸다. 그와의 이별, 나의 입원, 나의 자살시도, 나의 자해 흔적 이 모든 게 치유되기까지는 많은 시간이 걸렸다. 이젠 하나도 의미 없는 그와의 시간들과 추억들. 아니, 좋은 의미가 된 지금까지의 경험들. 이 많은 것 들을 모두 합쳐서 난 밝은 세상으로 갈 것이다. 어둠으로부터 벗어나는 방법을 배운 지금의 나는.

항상

항상 우울해 있지는 말자 우리

밝게 사는 방법은 다양하니까

새로운 사람들을 만나보고, 새로운 일들을 경험하고

새로운 무엇인가를 도전해 보고, 그 도전에 성공을 해보고,

실패를 맛보고 다시 일어서기를 반복하고,

그렇게 살다 보면 나 또한 강해지는 방법을 알게 되겠지.

그렇게 살아가겠지.

그렇게 지내다 강해지겠지.

강해진 나에게 해줄 수 있는 말은 그동안 고생했다는 말과

너는 해낼 수 있는 강한 사람이었다는 말과

해낼 수 있어서 행복했다는 말이겠지.

언제라도 부서질 거 같은 마음은 지금도 한결같다.

작은 일 하나하나에 불안에 떨며 조바심을 내며 무서워하는 그때의 모습과 다른 점은 없다. 하지만 조금은 더 버틸 방법을 찾았다. 내가 나아질 수 있는 방법은 바로 나의 마음을 덜어 놓을 수 있는 책을 쓰는 것이다.

책을 씀으로 인해 많은 생각 정리와 마음 정리가 된다. 이 책은 내 모든 마음과 생각들이 들어가 있는 책이 될 것이며, 누구든 읽어도 안 읽어도 상관없다. 내 책을 보고 나와 같은 상황에 처해있든, 그렇지 않아도 내가 뜻한 바를 알아줬으면 하는 바람에 적어보는 것이다. 그러므로 난 내가 경험했던 일과 그 경험으로 느꼈던 생각들을 앞으로도 적어 보려고 한다.

옛마음

제발 아니기를 바라며 밤새 도록 앓아누웠던 적이 있어, 너의 마음이 예전과 다르지 않기를 여전히 똑같기를 바라면서 예전에 했었던 대화 내용을 여러 번 올려다보고, 너와의 통화를 떠올려보며 그래, 아닐 거야. 하며 혼자 속앓이 하던 밤. 잊지 못하는 밤. 그래서 너의 마음은 뭐였던 거니? 그저 내가 싫어져서 귀찮은 존재가 돼서 연락하기 싫었던 상대. 그 이하 이상도 아니었겠지? 너무 행복하다 싶었어. 어쩐지

수선화

이토록 고운 아이야.

다른 것보다 더

아껴서 다뤄줘

그토록 귀한 아이야.

사랑의 대가는 따갑고 또 흉지이고

미움의 잔해는 오롯이 남아서

그 모든 걸 다 홀로 떠안다니

참 너무도 하지

널 사랑하지 않는 내게 꽃 하나를 쥐여줄게.

언젠가 내가 웃고 있을 날이 기대가 되기도 해.

내가 언제까지나 이렇게 울고 만 있을 순 없잖아.

난 꼭 일어설 거야

누구 하나 없어도 나 혼자도 괜찮아.

기댈 곳 하나 없어도 나 혼자서 괜찮아

의지할 사람 없어도 나 혼자는 괜찮아

그렇게 나 홀로 사는 연습을 하는 중이야.

누구 하나 없어도 괜찮은 나

원래 그랬던 나로 돌아가는 중이야.

눈이 왔지만

눈이 왔지만 그 눈을 못 보고, 만지지 못하고

마치 볼 수 없는 사람을 기다렸던 거 마냥

그냥 그렇게 지나치는 것.

눈이 왔지만 그 겨울은 못 보고

지나가는 것.

그게 사람일지라도.

첫눈이 와도, 그냥 눈이 내려도 겨울이 되어서도 못 보는 사람이 있다. 그 사람을 옛사람이라고 부른다.

옛사람은 내 마음 곁에서 떠나지 않고 맴돈다.

그렇게 맴돌면 나의 마음은 머물지 않은 나의 마음은 망가지고 헤지고 깨진다. 옛사람을 꺼낼 수 있는 방법은 뭐가 있을지 매일 수백 번씩 연구한다. 생각한다.

없애고 싶다고. 눈이 와도 그게 첫눈이라도 그 사람을 못 보더라도 없애서라도 못 보는 게 당연한 그 옛사람

이젠 더 이상 볼 일도 없고 아무 상관도 없는 사람 때문에

마음고생하는 게 어쩐지 한심하다는 생각이 든다.

그런 생각을 그만하려면 나부터 그만두어야겠지

내가 하고 싶은 것을 하고 좋아하는 것을 하고

보고 싶은 걸 보고 듣고 싶은 걸 듣고

보고 싶어 하는 사람을 만나고

듣고 싶어 했던 목소리를 듣고

좋아하는 영화를 보고

좋아했던 노래를 듣고.

그렇게 내 진심이었던 마음이 다 없어져 헤질 때까지.

이제 그만하기로 했으니까.

충분히 아파할 만큼 아파했으니 된 건다.

그걸로 모든 게 해결되진 않더라도 할 만큼 했으니,

해볼 만큼 해봤고 아플 만큼 아팠고

그리워할 만큼 보고 싶어 했으니 그만할 때가 됐다.

이 정도면 내가 충분히 일어설 수 있을 것 같다.

비로소 이런 생각이 들어야 끝이 난 거라고 생각한다.

난 할 만큼 했다는 생각.

사람을 정리하는 법

완전히 잊을 수 있을 때까지 생각하기

슬퍼한 만큼 울어보기

그리워할 만큼 그리워해보기

보고 싶어서 울며불며 밤새워보기

그 사람과의 추억될 모든 물건들 정리하고 버리기

그 사람을 내 인생 자체에서 없애기

그 사람과 모든 걸 끝내기

더 이상 생각하려야 생각이 나지 않을 정도로 생각해 보기

해보다 보면 정리할 것도 남지 않아 후련 한 일

그런 일 정도는 해보기.

제5화 미련

미련은 참 어렵고도 슬픈 감정이다. 남아있는 사람에게는 고통스러운 미련이겠지. 미련이 없을 만큼 매달려도 보고 슬퍼도 해보고 울어도 보자. 미련이 없어질 때쯤 나는 혼자도 괜찮은 상태가 될 것이다. 혼자도 괜찮아질 때쯤 언제 그랬냐는 듯 원래의 나로 돌아가게 되겠지. 미련이 없어질 때까지 해보자. 혼자 서있을 수 있을 내가 되게.

시간낭비

시간 낭비라고 봐야 할까 좋은 추억으로 남은 것이라고 해야 할까. 정말 시간 낭비가 된다면 마음이 많이 아프고 그 시절이 정말 많이 밉겠지.

그래서 시간 낭비가 되지 않게 나와 그 사람만의 좋은 추억이라고 생각해 보는 것이다.

시간 낭비라는 단어는 날 더 아프게 만들지만 그렇게 생각 않고 그렇게 믿지 않고 시간 낭비가 아니라, 나를 성장시켜 줄 시간이었다고 믿고 싶다.

그리고 그렇게 되게끔 나는 정말로 성장을 해나가야겠지.

지금처럼 글을 쓰면서 생각 정리를 하면서.

성장

나를 아프게 하는 것들은 모두

나를 성장시켜 주기 위함이다.

나를 슬프게 하는 것들은 모두

나를 단단해지게 만들어주기 위함이다.

나를 위해 주는 것들은 모두

나를 무뎌지게 만들어주기 위함이다.

그러니 아파해도 된다

그러니 슬퍼해도 된다

언제라도 성장할 수 있고 단단해질 수 있으니.

언제라도 무뎌질 수 있는 내가 될 수 있으니.

성장통

보통 성장통이라는 것은 더 나아지기 위해 아픔을 겪는 과정이다.

이 과정을 잘 견디고 버티다 보면 어느새 언제 아팠냐는 듯 성장해 있는 나를 발견할 수 있다. 그러니 지금 아프고 힘들더라도 포기하지 말자. 그냥 그렇게 지나가는 성장통일 뿐이다. 성장통을 겪고 나면 어른이 되는 것이다. 진짜 어른이란 성장통을 모두 겪고 진짜 어른들이 된 것이다.

그렇게 성장통을 심하게 겪으면서.

아프더라도 계속 해나가야 한다.

슬프더라도 계속 이겨내야 한다.

슬프면 슬픈 대로 울고

화내고 싶으면 화내고 싶은 대로 화내고

모든 감정들을 털어놓으면

미련이라는 작은 감정이 날아간다.

이 작은 감정이 우리를 큰 상처로 이끌어도

감정을 다 털어놓으면 어느새 없어진다.

쉬고 싶으면 쉬어도 된다.

아무것도 하기 싫으면 아무것도 안 하면 된다.

그렇게 감정을 배워가 보는 것이다.

미련 버리는 방법 배우기.

찬 바람이 불어와도 밝은 빛은 어느 순간 피어나니까

창밖에 하얀 눈들이 우수수 떨어져도 어느 순간 피어나니까

봄 같은 내가 피어나니까

그 순간을 믿고, 참고, 견뎌내보는 것

찬 바람만 부는 순간이 계속되는 것이 아니라

하얀 눈들이 쏟아지는 순간이 계속되는 것이 아니라

눈부실 날들은 계속될 거니까.

그렇게 믿으며 살아가야 하니까.

이별하고 많은 사람들은 슬퍼한다. 진심이었던 사람은 진심이었던 만큼 더 많이 슬퍼하며 이별을 경험한다.

진심이 아니었다는 사람들은 없겠지만, 남겨진 자보다 아픈 사람은 없을 것이다. 그러니 남겨진 자들을 위해 그들을 위해 조금만 더 슬퍼해주는 게 나은 방법 일 것 같다.

혼자 괜찮다며 가도 상관없다며 매몰차게 대할 것이 아니라 혼자 남겨진 상대를 위해서라도 조금이나마 진심이었던 마음이 흩날리지 않게 표현하는 것도 하나의 방법이지 않을까.

미련이라도 남지 않게 잡아보는 것이 유일한 나의 방법이었다. 잡지 않으면 이대로 영영 멀어질 것 같아서 있는 힘껏 잡았다. 가지 말라고 제발 날 버리지 말아 달라고. 울며불며 잡아도 이미 매섭게 식은 마음은 다시 돌릴 수 없었고, 돌아올 생각도 하나 없었던 모양이다. 그렇게 미련이 남지 않게 잡을 만큼 잡았다고 생각했는데, 끝을 내도 끝나지 않은 것 같은 또, 다른 미련이라는 마음이 생겼다. 해보고 싶었던 걸 다 해보지 못하고 끝난 미련. 어떠한 마음의 준비 없이 끝이 나버렸던 그런 미련. 잡아도 잡히지 않는 사람을 위해 나는 미련이라는 감정을 가지고 혼자 끙끙 앓고 있을 수밖에 없었고 미련을 없애기 위해 별 짓을 다해봐도 시간이 답이라는 결과물이 나왔다. 그랬다. 미련을 없애기 위해선 시간이 답이라는 것을 나는 시간이 지나가고 있는 와중에 알았다. 시간이 지나면 다 없어질 감정이니 지금 감정에 충실하자. 미련이라는 감정에.

수많은 이별과 만남을 반복해도 익숙해지지 않는 이별이 남기고 간 상처라는 감정.

이 감정을 어떻게 사용하느냐에 따라 우리는 망가질 수도, 아니면 다시 한번 일어서거나 둘 중에 하나가 되겠지.

상처받은 마음을 잘 치유해 보고 이해해 보려고 노력해 보고 충분히 아파해보고 슬퍼해보면 어느새 상처란 감정은 사라지고 고마움이라는 감정이 남을 것이다.

그 사람에 대해 고마움이란 감정이 남는다면 그것이 옳게 사용된 상처란 감정이라는 생각이 든다.

고마웠어. 지금까지

인사

멀어진다 그렇게 멀어져도 잡을 힘마저 없다

버려진다 버려진대도 달라지는 점 하나 없다

떠나간다 떠나간다고 해도 내가 할 수 있는 건 하나도 없다

멀어지고 버려지고 떠나가더라도 잘 가라고, 잘 지내라고

인사 한 번쯤 은 할 수 있는 사이가 되어보자고

그렇게 말할 수 있을 때쯤

모든 걸 잊고 괜찮아졌을 때 할 수 있겠지.

헛된 희망

다신 안 볼 것처럼 떠나가도 언젠가 만날 수 있을 거란 희망을 가지고 살아가는 것

그 희망이 헛된 희망이라고 할지라도 마음 정리를 위해 애써 감춰 놓은 헛된 희망.

헛된 희망이 허상이 되는 게 확실해지는 날에는 마음이 또 아려 두 번 아프겠지만 지금 남겨진 감정에 충실하도록 하자.

헛된 마음에 엉켜 있는 내 속마음.

연습

미련이라는 감정을 버리는 연습을 해보기.

미련이라는 감정을 더 이상 가질 필요 없는 감정이라고 생각해 보기. 그리고 실천해 보기.

우리는 언제나 해보지 못한 일이나 하고 싶은 일에 미련을 갖는다.

그러니 시간이 지날수록 희미해지는 미련이라는 감정을 보내주는 연습을 해보자.

사랑

나는 사랑이라는 게 존재한다고 생각하지 않는다. 사랑이란 건 부모님이 나에게 주시는 사랑뿐 그 외에 다른 사랑은 존재하지 않는다고 생각한다. 눈에 보이지 않을뿐더러 그 순간만큼의 진심이었던 사랑만이 존재할 뿐 영원한 사랑은 있을 수 없다고 생각한다. 사랑이란 게 하면 할수록 어려워지는 감정. 눈에 보이지 않아서 언제 어떻게 변할지도 모르는 이 감정을 어떻게 다뤄야 할지 어려운 것도 여전하다. 사랑이란 게 존재했으면 좋겠다는 마음을 가진 채.

미련

미련에 걸맞은 글을 쓰면서 지금 내 감정이 미련이라는 것도 무참히 깨달았다. 내가 지금 가진 감정이 미련이라는 것을 깨닫기 까지는 많은 시간이 걸렸다. 이게 미련인지, 사랑인지, 그저 버림받아서 슬픈 상처의 기분인지. 조금은 헷갈렸지만 미련이라는 것을 알았다. 알았으니 이제 미련을 버리기로 했다. 힘들 테지만 언젠가 겪어야 하고 겪어봐야 내가 성장할 수 있기에 미련을 버리고 새로운 감정을 받아들일 준비를 하기로 했다.

제6화 감정

그리움이란 감정은 없어지기 매우 힘든 감정이다. 그 사람에 대한 그리움. 그때 좋았던 시절에 대한 그리움. 그 날로 돌아가고 싶은 그리움. 여전히 좋아하는 그 사람에 대한 그리움. 돌아갈 수 없는 그때를 그리워하는 그리움. 그리워하는 감정을 이해하고 받아들이기까지는 많은 시간이 걸릴 그리움.

그

그는 나에게 그리움으로 남았지만 그 이상 그 이하도 아니다. 그저 그리움과 미련으로 뒤섞여진 감정이겠지.

그러니 그 감정을 정리할 것도 없다. 어떻게 하려고 하는 과정도 필요 없다.

그저 그리움이란 감정을 버리려는 노력이 필요 한 만큼 나는 더 악착같이 버티고 참아야겠지.

그를 그만 그리워할 때쯤 나는 괜찮아질 테니까.

그래야 하니까.

좋은 사람

좋은 사람을 만나라는 말을 들었다. 꽤 신선한 충격이었다. 그의 입에서 직접 좋은 사람 만나서, 행복하게 지냈으면 좋겠다는 말이 나왔을 때 마음이 많이 아렸다. 이 사람은 날 완전히 정리했구나. 그래서 할 수 있는 말이었다. 좋은 사람 만나서 행복하라는 말은.

그래. 나도 언젠가 좋은 사람 만나서 행복하게 지내게 되겠지 나도 좋은 사람 만나서 또다시 새롭게 좋은 추억들을 나누고 좋은 경험을 하게 되겠지. 꼭 그의 말처럼 좋은 사람 만나서 행복하게 지냈으면 좋겠다.

맞아. 그렇게 생각하게 된 날이었다. 진짜 좋은 사람을 만나고 싶다는 생각을.

추억

추억을 정리하면 모든 감정들이 정리가 된다.

추억을 정리하는 방법은 여러 가지겠지만

각자의 방법도 다르겠지만

그 추억을 잘 간직하는지, 아니면 버려야 하는지

잘 생각해서 정리해야 한다.

그리움이라는 감정도 마찬가지다.

그때의 우리가 그리운 감정인지

지금도 똑같은 거란 생각을 가진 그리움인지

추억과 그리움은 어째서 인지

같은 감정과 같은 정리를 가져온다.

미래

미래의 나에게 고맙다는 말을 하고 싶다.

많은 일을 겪고 분명 힘든 일을 겪어서

다치고 아팠을 텐데

잘 견뎌줘서 고맙다고.

미래의 나에게 그동안 너무 고생했다고

좋은 말과 좋은 감정을 주고 싶다.

그동안 버티느라 고생했어.

너무 잘 했어.

너는 이제 무얼 하든 잘 이겨 내고 해낼 수 있을 거야

앞으로도 그럴 거고 꼭 그렇게 될 거야

고생했어 미래의 나야.

나의 날들에 항상 좋은 날만 가득해 있길 바란다. 그리움이 란 감정이 날 성장시켜 좋은 생각만 할 수 있게 해 주길 바란다. 이제 그런 감정도 정리가 잘 되어서 앞으로 혼자 잘 지내며 생각하는 정도도 깊어져서 조금 더 어른스러워진 내 모습이 되어있으면 좋겠다. 그렇게 하기까지 많은 시간이 걸리고 많은 고생을 하겠지만 나는 믿어 의심치 않는다. 지금보다 더 어른스럽고 강한 나로 자랄 것이라는 걸. 무서워 하지 말고 지금처럼 새로운 생각들과 새로운 경험들을 하면서 좋은 모습으로 성장하기를. 그리움과 추억 모두 정리해서 좋은 감정으로 남아있기를 꼭 그렇게 되기를 바라며 글을 적어본다.

행복

행복해졌으면 좋겠다.

그저 버티고 버티며 행복만을 기다리다

다치고 헤져도 행복해졌으면 좋겠다.

사실은 내 바람이기도 해

난 내가 행복해졌으면 좋겠거든

언젠가 정말 행복해져 있는 나를 발견하면

그제야 책을 그만 쓸 수 있겠지.

한때는 내가 썼던 글귀처럼 행복해지면 책을 그만 쓸 수 있을 줄 알았다. 하지만 내 행복은 책을 쓰는 것이라고 느끼고 깨닫게 되었다.

나는 내 행복을 위해 책을 계속 쓸 것이다.

이 책은 나의 성장의 밑거름이 되어서 더 큰 나로 만들어줄 것임이 분명하다. 정말 진정한 내 행복을 찾는 것이 중요하다. 힘들어서 행복해질 때까지 쓴 책이 완성될 때쯤 깨달은 것처럼.

자신의 행복을 온전히 누려야 모든 것이 자유로워진다. 언젠가 행복해져 있는 나를 발견하면 그것도 내가 책을 쓰고 있을 때가 분명하겠지. 지금의 나는 정말 행복하다.

지금은 눈앞이 캄캄하고

혼자선 도저히 일어설 수 있는 힘이 없을지라도

조금만 더 버티다 보면

내가 반짝반짝 빛날 시기도 올 거라는 걸 안다.

그때까지 예쁘게 그저 사랑스럽던

내가 될 수 있을 때까지 버텨보자.

내가 썼었던 글귀이다. 지금 봐도 정말 공감되는 글귀이기도 하고 내가 좋아하는 글귀이다. 정말 눈앞이 캄캄하고 혼자선 일어설 힘도 없을 때 그 시기만 잘 버티고 버티다 보면 언젠가 분명히 빛날 시기가 오게 될 것이다. 항상 불행한 삶은 없다. 지금의 자신이 불행하다고 앞으로의 자신도 불행할 것이라는 생각은 정말 해서는 안 되는 생각이다. 불행했던 만큼 행복이 찾아올 것이고 행복해질 것이다. 그때까지 예쁘게, 그저 사랑스럽던 자기 자신이 될 모습을 기대하며 극복해 보자. 우리 모두들 행복해질 이유가 있다.

오아시스

오아시스 같은 존재가 되고 싶다.

나 자신에게도 오아시스 같은 존재가 되고 싶다.

내가 나 자신을 찾고 찾다가 그제야 쉼터를 찾은 거처럼

누군가에게 오아시스 같은 사람이 되고 싶다.

그렇게 될 수 있기 까진 많은 노력이 필요하겠지만

누군가 나를 찾고 쉼터라고 생각할 수 있게끔

편하고 안전하고 확실한 존재가 되어야겠지.

난 누군가에게 오아시스 같은 적이 있었을까?

진심

우리가 이토록 아픈 건 너무 많은

진심을 준 것일 수도 있다.

진심이라는 감정을 사랑스럽게 바라봐보자.

아름다운 진심이라는 감정들

탓하지 않고 있는 그대로.

날 것 그대로 나의 '진심'은 진심이었다.

내가 썼던 글귀처럼 이토록 많이 아픈 건 너무 많은 진심을 준 것 일 수도 있다. 그것은 변함이 없다.

정말 큰 진심을 준 만큼 아픔이 더 크게 다가올 수 있다.

그래도 그렇게 할 수 있었던 자신에게 고생했다며 안아줄 수 있는 용기도 필요하다. 진심이었다는 건 적어도 부끄러운 행동은 아니기 때문에 항상 우리는 진심으로 행동하는 것에 자랑스럽게 여겨야 한다.

진심이었던 자기 자신을 탓하지 않고, 아름다운 감정이라고 여겨야 성장할 수 있듯이.

앞으로 만나게 될 인연은 과연 나와 어떤 사고를 치고 어떤 상황에 처해있을까

과거의 인연처럼 아프지만 않았으면 좋겠지만 아프지 않을 수 있는 사랑이 있을까?

부디 똑같지 않기를. 똑같은 상처를 받지 않기를 바라며 새로운 사람을 기다리고 기다려본다.

언젠가 내 모습을 이해해 주고 사랑해 주는 진짜 내 인연을 찾아보려고 한다. 또 다른 사랑을 하기 싫었던 나였지만 이제 이별의 아픔과 슬픔을 극복하여 또 다른 삶을 살아갈 수 있게 다시 출발해 보려고 한다.

기분

오늘은 기분이 좋아

네가 없어서도 난 이제 좋아

혼자 있어도 괜찮아

둘이 있어서 힘든 거보다

혼자 괜찮은 게 맞는 거잖아.

이 어려운 걸 내가 해내고

아직도 하고 있어.

정말 이젠 혼자 있어도 괜찮은 기분이 든다. 난 분명 몇 달이고 몇 년이고 혼자 아파서 힘들어할 줄 알았는데 그건 나의 헛된 생각이었다.

나도 행복해질 자격이 있고 행복해질 방법이 있었다. 둘이 있어서 힘든 것보다 혼자 있어도 행복하다는 걸 깨달으면 정말로 혼자 있어도 괜찮아진다.

그 사실을 잊지 않고 마음속으로 새기다 보면 몇 달이고 몇 년이고 아팠을 것 같은 나의 마음의 상처는 다 없어지고 혼자도 괜찮은 나로 돌아간다.

이 어려운 걸 지금까지 해내고 있다는 자기 자신의 모습이 마음에 든다면 그걸로 된 거다. 그걸로 이미 성공한 것이다.

밑거름

사람이 성장하기 위해서라면 밑거름이라는 단계가 필요하다. 모든 걸 겪고 극복해 나가야 성장이라는 것을 할 수 있다. 그게 성장의 밑거름이고 성장할 수 있는 유일한 길이다. 아프다고 도망친다면 그곳엔 오아시스란 있을 수 없다. 아프다고 숨기만 한다면 더 이상 성장할 수도 없다. 그러니 모든 건 이겨낼 수 있다는 자신감과 생각을 가지며 행복해질 내 모습을 생각해 보자. 분명한 밑거름이 되어서 한 걸음 더 멋있어진 어른이 될 것이다. 진정 어른이 되는 길. 성장의 밑거름.

채워지는 마음

책의 첫 부분에 썼던 내용처럼 언젠가 내 모든 모습을 이해해 주고 사랑해 주는 사람을 만나고 싶단 내용처럼 정말 그렇게 되고 싶단 생각이 최근에 들었다. 꽤 오랜만에 들던 생각이었다. 나도 드디어 새 삶을 찾아 좋은 생각과 긍정적인 마음을 가지고 살아갈 수가 있구나. 고생을 하지 않아도 되겠구나 하고 생각을 갖게 됐다.

정말 날 이해해 줄 수 있는 그 누군가가 나타난다면 난 또 최선을 다해 사랑을 주고 사랑을 하겠지. 그 사랑이 예쁜 결실을 맺고 진정한 마음을 일깨워주는 사람이었으면 좋겠다. 이렇게 차근차근 나의 마음은 채워지고 있다.

감정

사람의 감정이랑 하루에도 수십 번 수백 번 바뀌기 마련이다. 생각 또한 마찬가지다. 감정이 바뀌는 건 어쩔 수 없는 불변의 법칙이지만 그 감정을 잘 조절하고 어떻게 사용하는지에 따라서 좋은 감정을 잘 간직하는 방법과 나쁜 감정을 어디까지 안고 있는지에 따라 달렸겠지.

좋은 감정을 길게 유지해서 하루하루가 긍정적인 마음만 유지될 수 있다면 얼마나 좋을까.

그렇게 하기 위해서 나쁜 감정을 버리는 방법을 잘 생각하고 좋은 감정이 이겨갈 수 있게 잘 버텨보는 것이다. 그저 잠시 지나갈 '나쁜 감정'일뿐이라는 것.

인연

인연이 아니었다는 말.

인정하기 힘들지만 그럼에도 인정하기.

오늘 하루도 눈물이 나지만 그럼에도 인정하기.

같이 보낸 날이, 날들이, 기간이 어떻든

받아들이고 보내줘야

비로소 상처가 덜 된다는 것.

인연이 아니었다는 말을 처음엔 받아들이기 어렵겠지만 그 사실을 꼭 기억해야 한다. 아닌 인연은 아닌 것이라고.

아닌 인연을 꼭 붙잡고 살기엔 우리가 살아갈 시간과 날들이 너무 아쉽고 아깝다.

그렇기에 앞으로 살아갈 날들을 위해 아닌 인연을 보내주는 연습을 하는 것이 좋다. 받아들이고 보내줘야 비로소 상처가 덜 된다는 것.

이 말을 꼭 기억하고 내 인연을 받아들일 준비를 새롭게 시작해 보는 것이다. 꼭 나타나게 될 테니 말이다.

긍정적인 마음

언젠가 불안정하고 부정적인 내게 긍정의 마음이 찾아왔다. 그 긍정이란 감정을 앞으로도 잘 안고 키워 나가야겠다는 생각이 들었다. 앞으로도 이렇게 안정적이고 긍정적인 마음을 가지고 단단해진 나로 살아가고 싶단 생각을 했다. 내 삶이 언제까지 부정적이란 법은 없으니 난 이제 긍정적인 마음과 생각으로 어른이 될 나에게 좋은 방법을 찾게 된 것이다. 긍정적인 마음. 이 마음 하나로 많은 즐거움과 기쁨을 찾을 수 있구나 하고 깨달은 어느 날.

마음

이미 차가워진 사람의 마음을 되돌리려

애쓰며 노력하기 보다 아직 차가워지지 않는

나를 생각하는 사람들의 마음을 지키려고

노력해 보자.

분명 나는 그런 사람들을 위해 살아갈 가치가 있고

이유가 있음이 분명하다.

이 글귀의 내용처럼 이미 차가워진 사람의 마음을 되돌리려 애쓰며 노력하기 보다 아직 차가워지지 않는 나를 생각해 주는 사람들의 마음을 지키려고 노력해 보아야 한다. 분명 그런 사람들을 위해 살아갈 가치가 있고 이유가 있음이 분명하기 때문이다. 그 사실을 잊지 않고 마음속에 간직하며 소중한 생각을 가져야 한다. 이미 돌아간 사람의 마음을 기다리는 바보 같은 짓은 더 상처를 불러일으키기 때문에 나를 위해주는 사람들을 생각해 보며 살아보자. 그럴 이유가 분명하기 때문에 가능하다. 분명히.

좋은 날

기분이 좋아졌던 하루다. 이렇게까지 좋았던 적이 얼마 만인지 모를 정도로 오래됐던 내 부정적인 감정이 좋아졌다.

하루 매일 같이 이런 기분이면 얼마나 좋을까.

바로 내 오아시스를 찾은 것 같은 기분이다. 남들에게 오아시스 같은 존재가 되고 싶다고 했던 나이지만 누군가를 오아시스처럼 생각하고 싶단 생각을 하기도 했다.

내가 힘들고 지칠 때 드디어 찾은 내 오아시스. 그래 그렇게 생각하고 싶었다.

성장

상처를 통해 얻는 건

더 이상 상처받지 않을 용기.

아픔을 통해 얻는 건

더 이상 아파하지 않을 방법.

이별로 통해 배운 건

더 나은 사람이 될 수 있다는 것.

무엇이든 나를 더 나은 사람으로

성장시켜 준다는 것은 분명하다.

이 글귀처럼 상처를 통해 얻는 건 더 이상 상처받지 않을 용기다. 상처를 통해 그 상처를 치유하는 것과 같이 쌓이고 쌓이다 보며 더 이상 받지 않을 방법을 찾게 된다. 그러면서 더 이상 상처받지 않을 용기가 생기게 된다. 아픔을 통해 얻는 것 또한 더 이상 아파하지 않을 방법이다. 이별로 통해 배운 것은 더 나은 사람이 될 수 있다는 것. 이 말을 틀림이 없다. 어느 이별이건 나를 더 나은 사람으로 성장시켜주기 마련이니까. 세상엔 좋은 이별이 없더라도 나 자신이 더 나은 사람으로 성장되어 있다는 법은 변함이 없다. 무엇이든 나를 더 나은 사람으로 성장시켜 준다는 것은 분명하다. 그러니 걱정 말고 충분히 아파하고, 상처도 받아보고, 이별도 해보고 그렇게 인생을 겪어 나가는 것이다.

사랑

어떻게 우리가 우리를 만나 사랑을 하고

이별을 하고 상처를 받고 더 큰 어른이 되어

더 나은 사람이 되고 우리가 우리가 됐었던 시간들을

좋은 추억으로 남겨 둘 수 있을 때

그제야 좋은 이별의 마침표를 찍을 수 있겠지.

분명 사랑했지만 이별했고

힘껏 사랑했지만 실수했고

같은 실수를 반복하지 않고, 시간과 함께 좋은 이별의

마침표를 찍도록 그렇게 해보도록 하는 것.

흑백

사람들은 다 잊으라고 해.

잊힌다고 시간이 해결해 줄 거라고 말을 하지.

사실 시간이 해결해 주지 않는 건 없거든

뭐든 지나가면 다 그때가 되는 거야.

나도 알고 있어서 그 시간이 지나가기 만을

바라고 있어.

시간이 지나가면 다 없어질 감정들.

그래서 지금이 감정들을 소중히 지켜내는 중이야.

이 감정들이 없어지면

난 원래의 색을 가진 나로 돌아가겠지?

지금은 다 헤질 때로 헤진 흑백 색이지만.

이 글귀처럼 사람들은 다 잊으라고 할 것이며 시간이 지나면 해결해 줄 것이라고 말했을 것이다.

하지만 그 말을 틀린 말이 아니다. 시간이 지나고 나 자신이 그 시간을 버티고 버티다 보면 어느 순간 원래의 색을 가진 알록달록한 나 자신으로 돌아가기 마련이다. 시간의 힘이다. 버텨낸 자신의 힘이다.

시간이 지나면 다 없어질 감정들. 그러니 그 감정들을 소중히 여기고 지켜내 보는 걸로 하자.

지금은 비록 흑백색의 나일지라도 원래의 예뻤던 색을 가진 나로 돌아가기 위해선 잠시 힘든 시간을 버티고 버텨보자.

행복

행복은 멀리 있지 않다.

언젠가 곁에 나타나 깜짝 선물을 받은 것 마냥 나타난다.

행복은 늘 자신의 곁에 있다.

그러니 지금 당장 행복을 찾지 않아도 된다.

그 시간을 기다리다 보면

분명 꼭 행복한 순간들이 나타난다.

그리고 행복한 순간들이 나타나면 기다렸던 만큼

보상을 받는구나 하며 그 행복을 온전히

다 받아들이면 된다.

행복은 늘 곁에 있으니.

벚꽃

벚꽃의 시작은 봄의 알림이다.

봄의 시작은 설렘으로부터 온다.

설렘이라는 건 좋은 감정으로 시작된다.

이 좋은 감정을 헛되지 않게 쓰는 것이 중요하다.

봄의 시작을 알리는 벚꽃처럼

아름답고 화사하게 그렇게 지나칠

벚꽃이지만 그 순간만큼은 진심으로

설레는 마음을 가지고.

제7화 이제야 찾아온

이제야 찾아온 행복이라는 감정. 내가 무너져 있을 때 이러려고 무너져 있던 걸까 하는 생각이 들 만큼 행복해진 나를 발견할 수 있게 됐다. 아. 이런 게 행복이지. 그래 이런 기분이 행복이었어 하며 나는 드디어 불행으로부터 벗어날 수 있게 됐다. 언제까지나 불행한 삶은 없다고 말해줬던 친구의 말처럼 나는 무너지지 않고 다시 행복으로 일어났다. 내 친구 말이 맞았던 날이다.

봄의 시작

혼자 견디긴 춥고 힘들었던 겨울은 가고

화사하고 따뜻한 봄이 왔다.

이 봄들을 나는 잘 간직하려고 한다.

정말 화사하고 따뜻한 봄의 계절인 만큼

나의 감정도 계절에 따라 변한 만큼

이 소중한 감정들을 잘 간직하고 기억해 보려고 한다.

어느덧 매섭고 무서웠던 겨울이란 감정들은 가고

아름다운 봄의 감정들만 오가길 바라며

내 행복을 찾아 떠나려고 한다.

감정변화

감정이란 변화되기 마련이다.

그러니 그 순간에 감정을 소중히 지켜내는 것이 중요하다.

언제든 변하는 것이 감정이라는 중요한 존재이다.

이 중요한 존재를 잘 다루고 사용하는 방법은

그 순간의 진심을 소중하게 생각하고,

진심으로 대하는 것.

감정이란 언제나 변화된다는 걸 잊지 않고

항상 좋을 수도, 항상 나쁠 수도 없단 걸

누구보다 자기 자신이 제일 잘 알아야 한다.

내 일상

내 일상 속에 네가 없었으면 좋겠다.

내 추억에 네가 없었으면 좋겠다.

내 마음에 네가 없었으면 좋겠다.

내 모든 것에 네가 없었으면 좋겠다.

그래야 내가 행복하니까

나는 아직까지

네가 아직 있어 너무 불행하다.

처음 나온 내 책의 글귀 내용이다.

지금과는 전혀 다른 불행한 삶을 살고 있었다. 언제까지나 나는 항상 불행할 것 같다는 생각을 가지고 글을 적고 또 적었다.

내가 행복해지면 그제야 책을 그만 쓸 수 있을 것이라고 생각했고, 내가 행복해질 수 있는 방법 따윈 없을 것이라고 생각했고,

지금 내가 행복한 게 정말 꿈이 아닌가 싶을 정도로 전과 달리 많이 밝아졌다.

모든 것에 그 사람이 있건 없건 내 행복과는 전혀 관련이 없다. 내 행복은 내가 정하는 거니까.

가끔

이젠, 가끔 생각나면 울겠지만

다시 연락하거나

안부 물어볼 생각은 안 하지만

난 안다.

언젠가 만이라고

너랑 비슷한 향기 가지고

너랑 비슷한 목소리 가진 연인 만나고

너랑 비슷한 성격 가진 사람 만나고

너랑 비슷한 얼굴 가진 인연 만나고

너랑 비슷한 사랑한다는 것

다 아무것도 안 해본 처음처럼.

책의 글귀처럼 언젠가 만이라고 비슷한 향기, 비슷한 목소리, 비슷한 성격, 비슷한 얼굴, 비슷한 사랑한다는 걸 지금 느끼게 됐다. 다 아무것도 안 해본 처음처럼

그 말을 사실이었다.

다 아무것도 안 해본 처음처럼 나도 할 수 있게 됐다. 언젠가 만이라도 그 사람을 다 잊고 새 출발을 할 수 있을지 온통 머릿속엔 걱정과 불안뿐이었던 나를 안심시켜주고 달래주고 어른스러운 마음으로 바라봐 줄 사람이 생겼다.

정말 진정으로 어른스러운 사람이었다. 나도 그 사람으로 인해서 많은 걸 배울 수 있을 것 같다는 생각을 한 날이었다.

기쁨

기쁨이라는 감정.

처음으로 제대로 느껴본 진정한 감정이었다.

이 기쁨이라는 감정을 가지고

나는 새로운 삶을 살아갈 것이다.

다시는 사라지지 않을 소중한 감정이라 여기며

소중하고 귀한 이 기쁨이라는 감정을 가지고

앞으로의 내 삶을 살아갈 생각이다.

그렇게 살아도 후회하지 않을 것 같은

기분이 드는 요즘이다.

믿음

믿음이라는 감정은 우리의 마음속에 잔잔히 남아있다.

그 믿음이라는 감정을 깨지지 않게 잘 보관하는 것도 우리의 여전한 숙제다. 누군가를 믿는다는 것은 어려운 일이기에 그 어려운 일을 해낸 자신에게 다치지 않게 소중히 여겨줘야 할 믿음이라는 감정.

누군가를 믿고, 다치며 헤질 때로 헤지는 마음이 아닌 깨지지 않고 굳건하게 자리를 지키며 키워 나가는 믿음이라는 소중한 감정.

제발 그 감정이 썩어 문드러지지 않기를 바라는 마음이다.
믿음은 정말 소중한 거니까.

이제야 찾아온

눈부시게 아름다운 날

이제야 찾아온 내 봄날

이 봄날을 어떻게 하면 없어지지 않고

소중히 다룰 수 있을지 생각 중인 날이었다.

이제서야 찾아온 내 소중한 봄날을

잊히지 않게 내 눈, 내 마음속 깊은 곳까지

새기며 그때의 기분을 잊지 않고

나만의 세상의 저장 중이다.

아름다운 이제서야 찾아온 사랑이라는 감정.

사랑이란 건 이런 게 아닐까?

사랑이라는 것

사랑이라는 것은 언제나 기쁨을 가져다준다.

사랑이란 게 없다 생각한 나에게도 사랑이란 게 생겼다.

정말 없을 줄 알았던 사랑이라는 감정이 다시 생긴 걸 보니

어쩌면 내가 잘못 생각하고 있었구나 하며

깨닫기 시작하는 과정이기도 하다.

이런 잘못된 생각을 일깨워주는 누군가가 있다는 것은

또 행복을 가져다주는 누군가가 있다는 것은

분명 행복한 일이다.

이 행복을 오래오래 간직해 보자.

사랑이라는 것은 그런 것이니까.

항상

항상 좋아하는 마음이 커지게 되면 주체할 수 없는 기분이 든다. 주체할 수없이 커지고 커져서 또 같은, 또 다른 상처를 받으면 그때 나는 어떻게 또 무너져 있을까 하는 생각들과 이렇게 커지면 커질수록 행복해서 불안해지는 생각들과 여러 가지 감정들이 섞여 항상 걱정이 앞서는 마음이 생기기도 한다. 이럴 땐 어떻게 해야 할까? 지금의 행복을 받아들이고 충분히 행복해하고 다음에 받을 아플 상처들은 생각않고 지금을 즐기면 되는 걸까? 그게 맞는 방법일까? 어쩌면 그렇다는 생각이 들다 가도 다시 둘이 되기가 무서웠던 내가 둘이 된다는 게 불안하기도 하지만, 어째서인지 행복해지는 기분은 달라지지 않는다. 난 분명 너무 행복한 하루하루를 보내고 있으니까. 그래. 항상 불행한 법이라고는 없다고 했지. 항상 행복할 순 없더라도 그때의 나타날 내 불행을 잘 받아들여보자.

트라우마

트라우마가 있던 곳에 소중한 사람과 다시 한번 가보았다. 울며 불며 마음의 요동이 칠 것 같았는데 아니었다. 그때와 달리 사랑하는 사람과 와보니 내 트라우마는 어쩌면 줄어든 게 아닐까 싶을 만큼 마음이 요동치지 않았다. 울컥했지만 눈물은 나오지 않았다. 이제 나도 트라우마에서 벗어날 수 있겠구나 하고 생각했다. 그때와 달리 혼자가 아닌 둘이 되어버린 나에겐 트라우마를 같이 받아들이고 이해해 줄 수 있는 또 다른 사람을 만나게 됐다. 내 트라우마는 이 정도로는 됐다. 이제 떠나보낼 수 있을 것 같다. 뜻깊은 과정이었다. 뜻깊은 날들을 보낼 수 있을 것 같다는 생각을 했다.

한강

한강을 바라보았다. 끝없이 이어져 있는 것 같은 강들과 불빛들. 가로등에 비친 한강이 너무 아름답다고 느껴졌다. 한강에서 이런저런 속에 박혀 있는 속마음들을 내놓고 털어놓았다. 아름다웠다. 한강 그리고 그와 나만 있는 세상 속에서 이 행복이 오래가기를 간절하게 빌었다. 한강은 나에게 무섭고 두려운 존재였는데 어째서인지 그렇게 느껴지지 않았다. 참 아름다운 공간이었다. 한강. 아름다운 그날의 감정과 기억들.

소원

아무것도 해달라는 게 없었다

그저 내 옆에만 있어 달라고만 했다.

아무것도 해달라는 말이 없단 말이

아예 너까지 없어져 달란 말이 아니었는데

내 옆에 있던 네가 사라졌다.

그렇게 아무것도 없이 내 옆에만 있길 바랐는데

너무 큰 욕심이었나?

너무 큰 사치였나?

아무것도 없이 내 옆에 너만 있어 주길 그랬는데.

그랬다. 아무것도 없이 그저 내 옆에만 있어 주길 바랐다. 그게 아예 사라져 달란 말이 아니었는데 그 사람은 아무것도 없이 날 떠났었다.

하지만 이젠 아무렇지도 않다. 그가 떠나갔다는 사실조차 기억도 안 나고 기억하고 싶지도 않다. 오히려 내 옆에서 떠나가 줬다는 게 고맙단 생각까지 든다.

지금 내 옆에 있는 다른 사람은 아무 이유 없이 나를 감싸 주고 이해해 주고 날 있는 그대로 받아준다. 그대로 바라봐 준다. 그게 너무 행복했다.

그래서 전에 썼던 글귀와 비교해 보니 정말 더 좋은 사람을 만난 것 같다는 생각이 든다. 아무것도 없이 그저 내 옆에만 있어줄 사람을 만난 것 같다. 전에 썼던 글귀와는 다른 지금은 이 글을 쓰고 있는 동안에도 좋은 기분이 느껴진다.

미련

이런저런 기억들을 잊을 수 없는 건

그만큼 미련이 많이 남았다는 것

미련이 남은 건 해볼 만큼 해보지 않았다는 것.

해볼 만큼 해보지 않는 내가

아직은 홀로서기가 겁나고 두려워

너만 찾고 있다 바보같이

전에 썼던 책의 한 부분이다. 이젠 미련이라는 감정을 남기지 않기 위해 현재 옆에 남아 있는 사람들에게 미련 없이 잘해주고 내 마음 표현을 열심히 하고 후회 없이 사랑을 해보려고 한다. 더 이상 미련이라는 감정이 남지 않게, 끝나고 나서 후회되는 사랑이 아닌 후회 없이 사랑할 수 있어서 좋았던 그런 사랑으로 보낼 수 있게. 그렇게 해보려고 한다. 홀로서기가 무서웠던 나였지만 이젠 홀로가 아닌 나에겐 옆에 있는 한 사람이 있기에 모든 걸 이겨내고 다시 일어날 수 있을 것 같다. 미련 없이, 사랑하고 사랑하는 만큼 사랑하기 이해할 수 있을 만큼 이해하기, 우리 서로 배려하며 아껴주고 믿음을 주며 그렇게 사랑해보기.

고통

벼랑 끝까지 가 본 사람만이 일어설 수 있듯이

나 또한 일어서 보려고 한다.

사람은 고통 없인 행복을 얻진 못한다.

그러니 영원한 행복도

영원한 고통도 없다.

행복한 사람들도 모두 힘든 고통을 겪고

성장한 사람들임이 분명하다.

글귀에도 적혀 있듯이 벼랑 끝까지 가 본 사람만이 다시 홀로 씩씩하게 일어설 수 있듯이 나 또한 그렇게 홀로 일어서기를 했다. 물론 그만큼의 표현할 수 없는 큰 고통을 겪고 일어났지만, 그만큼의 보상이라도 받는 듯이 행복을 얻고 긍정적인 기분으로 하루하루를 보내고 있다. 사람은 고통 없인 행복을 얻지 못한다. 이 사실을 꼭 기억해야만 한다. 고통 없이 얻는 행복은 그리 오래가지 못할 것이다. 또 불행하기만 한 삶이라고 언제까지 불행하기란 법도 없다. 영원한 고통과 불행도 없고, 영원한 행복도 없듯이 지금 자신에게 다가온 감정들을 잘 겪어 나가보자. 분명 결과는 성장한 사람들이 될 것임이 분명하다. 내가 지금 그랬듯이.

밤

너와 싸웠을 때, 너에게 애정표현이 없어졌단 걸 알았을 때, 나에 대한 마음이 변했다는 걸 알았을 때, 난 밤새도록 숨죽여 울었어. 넌 전혀 모르겠지만 사귀는 동안에도 나는 힘들었다. 행복했지만 너의 행동이 그렇게 변해 갈 때마다 너무 힘들고 마음이 아팠어. 제발 변하지 않기를 바랐는데 너 또한 다른 사람들과 같이 변해가더라. 애정이 없어질 때마다 나에게 하는 행동 난 눈치 못 챈 척했지만 사실 다 알고 돌아오겠지 다시 예전처럼 날 사랑해 주겠지 하면서 바보같이 기다렸어. 그래서 내가 울었던 밤들을 잊지 못해. 이런 내가 또 다른 사랑을 할 수 있을까?

한때 내가 썼던 글귀였다. 변해가는 그 사람을 볼 때마다 가슴이 아리고 아팠다.

그리고 사람은 언젠가 변하기 마련이고 마음이 바뀌기 마련이구나 하고 생각하며 마음 아파했었다.

그래서 그동안 울었던 그 밤들을 잊지 못한다.

다른 사람들을 만나봐도 똑같이 변하겠지 하며 기대심을 가지지 않고 사람을 만나는 것이 방법일 것이라 생각하며 지내 왔었다.

하지만 그런 내 생각을 바꾸게 해준 누군가가 나타났으며 이제 그로 인해 내가 또 다른 사랑을 할 수 있을지 의문이었을 마음을 정리하며 또 다른 새로운 사랑을 시작하고 있다.

다시는 느끼고 싶지 않은 변해가는 사람을 바라만 보고 기다리고만 있는 그 감정.

이제는 다신 느끼지 않길 바라며 글을 써본다. 이젠 행복해지자는 다짐과 함께.

미화

추억이 미화된다는 건 너와의 안 좋았던 점

안 좋았던 모든 것들이 좋은 기억으로 바뀐다는 거야.

그래서 종종 우리는 지금 이 미운 기분을

잊고 그땐 좋았지 하면서 떠올려

이게 미화의 좋은 점인 걸까 아닐까?

나도 언젠가 너에 대한 기억이

미화가 돼서

널 다시 좋게 생각하는 날이 왔으면 좋겠다.

그렇다. 추억이 미화된다는 건 안 좋았던 기억들이 미화가 돼서 좋은 기억들로 바뀌고 생각난다는 것이겠지.

그 기억들이 바뀌면 난 과연 좋은 기분과 감정으로 너를 대할 수 있고 생각할 수 있을까?

하고 지금 와서 느끼는 바는 미화가 된 다기보다는 그냥 아무런 생각도 안 들고 아무런 기분도 들지 않는다는 것이야.

이게 바로 미화라는 걸 깨달은 거지.

널 다시 좋게 생각하는 날이 왔어. 아무렇지 않은 기분으로 널 생각할 수 있는 날이.

끝 사랑

내가 좋아하는 모든 것들은 날 울게 만든다.

꼭 울게 만든다.

내가 사람을 좋아하지 않는 이유도 마찬가지다.

언젠가 올리고 말 테니까.

'항상 마음을 다 주지 말고 상처받지 말기'

이 글귀 또한 처음 썼던 책에 썼던 책이다. 내가 좋아하는 것들은 모두 나를 울리고 말 것이라고 생각했던 나는 다시는 사랑을 할 수 없을 줄 알았다.

하지만 그건 나의 잘못된 생각이었고 나는 또 새로운 사랑에 빠지게 됐다. 내가 사람을 좋아하지 않는 이유도 마찬가지로 언젠가 나를 울리고 말 것이라는 두려운 마음 때문이었지만 그래도 한 번 더 믿고 내 상처로 인해서 새로운 사람에게 상처 주지 않기로 마음먹기도 했다.

항상 마음을 다 주지 말고 상처받지 말자는 나의 마음을 변함이 없지만 이 사람이라면 내가 상처받을 일 또한 없을 것이라고 생각이 든다. 부디 그런 사람이라 믿고 싶고 믿을 것이다.

자기 자신에게 솔직하고 나에게도 숨김없는 이 사람을 믿고 싶다는 생각이 든 날이었다.

첫사랑

첫사랑은 이루어지지 않는다. 다만 마지막 사랑이 이루어지는지가 중요하다. 첫사랑이 아프고 시린 이유는 어쩌면 끝사랑이 이루어지려고 그러는 것일 수도 있다. 그만큼 아프고 성장했으니까 첫사랑에게 했던 같은 실수와 아픔을 반복하지 않게 하기 위해서 끝사랑이 필요한 것일 수도 있고, 그 첫사랑을 맺음으로써 끝사랑이 필요한 것일 수도 있다.

나는 그렇게 생각한다. 첫사랑과 같은 실패로 끝 사랑마저 실패로 끝나버리는 일은 없을 것이라고. 분명 첫사랑으로 인인 배운 것이 있으므로 끝사랑에는 정말 끝과 같은 마지막 사랑이 될 것이라고 생각한다.

그래서 첫사랑은 어쩌면 중요하다는 이유가 되지도 않을까.

바닷바람

선선한 바닷바람이 일렁이고 햇빛이 날 비추고 온통 파도 소리에 홀려 정신을 차릴 수 없이 바라만 보고 있었다.

봄이었다.

바닷바람과 함께 떠다니며 낭만을 즐기는 사람들을 보며 내 마음에도 낭만이 생겼다.

잊을 수 없는 바닷바람 바닷소리 바다향기 그 속에 숨겨진 아름다운 조개껍데기들까지 하나 버릴 거 없는 날이었다.

동백

너를 사랑하는 일, 동백을 피우는 일.

너를 사랑하는 일이 꽃을 피우며 예쁘고 아름답게 그렇게 보람찬 일이라면 나는 얼마든지 채울 수 있다. 너를 사랑하는 일이 동백을 피우는 일이다. 아 그 아름다운 동백들. 아름답고 화사한 봄날의 꽃처럼 다시 새로운 마음을 가지고 시작할 수 있는 계절이 왔다. 봄과 동백 사랑하는 동백을 피우는 일.

비행기

설렘과 두려운 마음을 떠안고 떠나는 비행기를 타고 가는 여행. 사랑하는 누군가를 만나기 위해 한발 한발 조심스럽게 걸어가 비행기를 탔다. 사랑하는 그를 만나기 위해서 그와 앞으로 있을 무수히 많은 일들과 여행들로 인해서 설레는 이 내 마음은 무엇으로 표현할 수가 있을까 비행기가 더 빨리 날기를. 더 빨리 도착하기를 바라고 바랐는데.

별 산책

온통 어둡고 캄캄해서 앞이 잘 보이지 않는 밤하늘에 차가운 바람이 불어 몸이 추웠던 날.

하지만 혼자가 아니어서 괜찮았다.

내 손을 꼭 붙잡고 둘이 같이 걷던 산책길 하늘을 올려다보면 온통 나와 그이만의 별들이 떠올랐고 밝고 아름다웠던 별들을 힘껏 올려다보며 걷던 그 산책길.

이게 바로 사랑이라고 부르는 것들이겠지.

바람

선선한 바람이 불고 시원한 날씨에 바다가 보이는 풍경에 앉아 멍하니 생각에 갇혀 있다 보면 무슨 생각 중이냐며 나에게 물어 봐줄 사람이 생겼다. 그와 함께하면 무슨 생각이든 다 말해줄 수 있을 것 같았고 말하고 싶었다. 지금은 이 바다와 풍경을 내 눈 속에 담고 기억하려고 하고 있어. 시간이 지나도 잊히지 않게 시원한 날씨와 날 생각해 주는 너와 함께 라면 더 이상 두려울 것들이 없어졌다. 바람과 같이 날라오고 날리겠지만 너와 나 둘뿐은 날아가지 않고 서로 꼭 붙잡고 있기를 그렇게 한없이 소원을 빌었어.

꽃 길

수많은 꽃 길과 나무숲을 걸었다. 내가 꽃 속에 있어도 아름다울 수 있게 나의 모습들을 열심히 담고 있는 그였다. 그와 함께 라면 벌이 많고 무서운 벌레들이 방해를 한다고 하더라도 무서울 게 없었다. 두려움도 잊고 꽃 길만 걷고 숲속 길만 걷는, 그렇게 내 눈 속에 담고 머리로 기억하고 향기로 느끼며 길들을 걷고 또 걸었던 나. 그렇게 아름다운 풍경들과 함께 있으며 내 생각의 깊이도 달라졌다. 이렇게 사랑스러운 꽃들과 나무들과 그와 함께 한다면 난 그 무엇도 무서울 게 없었고, 그저 행복만 했다. 하루 종일 웃음이 나와서 너무 행복했고 설레었던 날들이었다.

향기

봄 내음이 가득했다. 바다 향기가 가득했다. 맑고 깨끗한 공기 향기가 가득했다. 이렇게 평화로운 것들 사이에서 걷고 또 걷고 바람을 맞으며 향기로운 날들만 가득 찬 하루하루였다. 그중 하나를 고르자면 고를 수도 없을 만큼 모든 게 좋아서 무엇 하나 다른 어떤 것 과도 바꿀 수 없었다. 너무 행복해서 시간이 가지 않기를 바라기도 했다. 시간이 너무 빨리 지나가서 꿈인지 현실인지 분간이 안 가기도 했다. 그 향기 끝에 닿은 건 그의 향기가 대부분이었다. 참 좋은 향기를 가진 사람. 그렇게 기분 좋은 향기와 항상 함께였다.

시간

시간이 지나도 잊을 수 없는 여행을 했다. 모든 게 완벽했다. 심지어 날씨마저도 우릴 축복해 줬다. 모든 게 행복했다. 그 흔한 작은 다툼 없이 모든 게 행복하고 즐거운 날들만 가득한 시간이었다. 시간은 무엇으로도 대체할 수 없는 존재이다. 그렇기에 아름다운 이 시간을 채워준 그에게 고마워해야겠지. 나에게 이런 좋은 추억을 가져다준 그에게 내가 행복한 모습을 보여줘야지. 앞으로도 웃음만 가득한 날들만 있기를 간절히 빌고 빌어서 이 행복이 깨지지 않게 항상 행복만 해야지 하는 시간들이었다. 내 시간들이 전혀 아깝지 않았고 빨리 흘러가는 시간을 붙잡고 싶었다. 눈 뜨면 해가 져 있는 이 빠르게 지나가는 시간을 가지 말라고 떼를 쓰고 싶기도 했다. 하지만 그 시간 속에 온통 행복한 나였으니 그것 하나로 만족한다. 무엇 하나 헛되지 않게 보냈으니 그거면 됐다.

여행

꿈같은 여행을 떠났다. 아름답고 행복한 여행을 떠났다.

그 속에서 많은 걸 배우고 느낄 수 있었다.

내 머릿속에 온통 글을 쓸 내용으로 가득 차 있었다.

그 무엇도 생각이 안 나 글쓰기가 어려웠을 때 나를 데려가 준 소중한 그에게, 여행을 선물해 준 그에게

무엇 하나 아깝지 않게 해줄 수 있을 거 같다는 생각을 했다. 깊게 생각했다.

사랑하는 일

너를 사랑하는 일은 어렵지 않았다. 그 누구도 달랠 수 없는 나의 마음의 꽃을 피우고 마음에 설렘을 가져다주고 봄을 느낄 수 없는 나에게 차가운 겨울 대신 화사하고 따뜻한 봄을 선물해 줬다. 나를 사랑하는 일은 어려웠을 텐데. 그 어려운 일을 해준 그에게 더욱더 사랑을 느끼고 행복을 느꼈다. 어둡고 캄캄했던 내 과거에게 미안하다는 생각을 했다. 이제는 그 과거에서 나와서 훌훌 털어내고 일어설 수 있겠다는 생각까지도 했었다. 너를 사랑하는 일은 앞으로도 길고 길게 남기를 바라며.

사랑

사랑이라는 것은 어렵고도 존재하지 않는 감정이라고 생각했다. 하지만 그 눈을 바라보고 있으면 이게 바로 사랑이구나 하고 떠올릴 수 있었다. 사랑이란 게 무엇인지 알려준 한 사람이 있었다. 사랑이란 건 나에겐 존재하지 않고 부디 없어지라고 빌고 빌었던 감정이었는데 이젠 너무 소중해서 다시 사랑을 하기 시작했다. 사랑하고 사랑해서 떠날 수 없게 만드는 그를 더욱더 사랑하기 시작했다. 소중한 사람과 함께 라면 이게 사랑인 거라면 나는 이 사랑을 계속 더 하고 싶다는 생각을 했다. 그랬던 날들이었다.

나무

언제나 한곳에서 꾸준히 버티며 자라온 나무에게

나 또한 나무처럼 굳세고 단단해져서 사랑을 주고 싶다는 생각을 했다.

내 사랑을 온전히 받아 줄 사람이 생겼으면 좋겠다는 생각을 했다.

어느 봄바람의 향기처럼 봄날의 흩날리는 꽃잎들처럼 그저 바라만 봐도 좋은 그런 사람.

내가 그런 사람이 되고 싶다는 생각을 했다.

바다

바다는 바라만 보고 있어도 그 자체로 아름답고 아름답다.

마음을 울리는 무엇인가가 있는 게 분명하다.

파도치는 소리와 바람 흘러가는 소리와 어디선가 들려오는 새소리들. 그 자체만으로도, 쳐다만 봐도 소중하다는 것을 느낄 수 있다.

삶이 힘들고 어렵다면 이 바닷바람을 느끼며 산책을 해보면서 마음가짐을 다시 잡을 수 있다는 생각을 했다.

맞아. 그렇게 살아가는 것.

별

아름다운 밤하늘에 별들이 가득 떠있는 것을 보았다.

저렇게 수많은 별들은 어디에서 나타나서 나를 향해 비춰주는 걸까.

별들을 하염없이 보며 걸으며 생각했다.

너무 아름답다. 아름다운 하늘 아래 나와 그와 둘만 있었던 그 시간.

돌릴 수 없어 마음이 조금은 아프지만 다시 밤하늘의 별을 볼 수 있을 때쯤 또 기억하고 머릿속에 내 눈 속에 기억하고 담아두려고 한다.

밝고 아름다웠던 그 별들.

비

새벽에 왔다가 비가 그친 모양이다. 일어나서도 비가 오지 않았던 완벽한 날씨였다. 하루 종일 비가 와서 고생을 한다든가 옷에 빗물이 다 젖어 성가신 일이 없게 그렇게 비는 우리를 위해 새벽에 내리다 간 것이다. 물론 비가 와도 낭만적인 하루를 보낼 수 있었겠기만, 날씨마저도 우리를 위해 있어주듯이 밝고 화창한 그런 푸르른 구름 색을 띠어주는 날씨 와도 같았던 여행.

날씨

여행은 날씨에도 큰 영향을 미친다. 날씨는 기분에 큰 영향을 끼친다. 비가 오면 우울해지는 사람이 있듯이 해가 떠서 너무 덥고 습하면 짜증이 나는 사람이 있듯이, 여행엔 날씨가 정말 중요하다. 내가 떠났던 여행이 그랬다. 날씨가 모든 걸 좋게 만들었다 날이 좋아서 여행하는 내내 기분이 좋았고 행복했으며 비가 와서 우울하고 너무 더워서 짜증이 나는 그런 일 따위는 없었으며 모든 게 조화로웠던 날들이었다.

눈

오늘은 예쁘고 환한 눈이 내리는 날이야.

너랑 겨울 정말 보내고 싶었는데

혼자 보내니까 이상하다.

원래 혼자인 게 맞는데

너랑 걷고 너랑 보고 싶어

한때는 겨울을 생각하며 저런 글귀를 남긴 적이 있다. 하지만 이젠 다르다. 매섭고 춥던 겨울은 지났고 나에겐 봄의 색만 가득한 봄이 왔으니 말이다. 앞으로의 나의 봄, 여름, 가을, 겨울은 온통 이 한 사람과 보내고 싶다는 생각이 들었다. 나의 사계절을 이 사람과 함께 보내며 추억을 만들고 여행을 떠나며, 기억에 남을 모든 행복할 일들을 쌓아가며 그렇게 살아가고 싶다. 나에겐 춥고 슬프기만 했던 겨울은 잊고 새로운 겨울로 채워 나가고 싶다. 나의 새로운 사계절은 앞으로 어떻게 될까. 걱정이 되다 가도 이 사람과 함께 라면 어렵지 않지 않을까?

겨울

겨울의 추위처럼 피할 수 없게

항상 나를 따라오는 너.

그만 와달라고 하고 싶은데

또 보고 싶은 너

너는 도대체 사라질 거야 살아질 거야

정답지 대체 뭐야

이렇게 나의 겨울은 한없이 춥고 어둡기만 했다. 잊지 못했던 그 사람만 생각하며 글귀들을 한없이 적어갔다. 하지만 이젠 다르다. 저 글귀들을 쓰며 생각했던 그 사람은 떠오르지 않고 다 잊혔다. 난 새로운 사람과 새 삶을 살아가며 새로운 인생을 꽃피울 것이다. 그 사람은 겨울과 함께 사라진 것이 맞았다. 드디어 깨끗이 사라졌다. 내 소원대로 됐다. 돌아오지 않는 여행을 떠난다는 그 사람에게 완전히 안녕을 말할 수 있는 날이 왔다. 나는 내가 소중하게 생각하는 새로운 사람과 새로운 날들만 앞으로 내 삶에서 가득하겠지. 그렇게 가득해서 행복해 미칠 것 같은 날만 가득하겠지. 그러니 네가 떠나줘서 너무 고맙다고 할 테지. 네가 없어진 지금의 나는 너무 행복하기만 하니까.

마지막 겨울

이제 이 글을 끝으로 겨울이란 계절은 나에게서 끝난 계절이다. 모든 걸 털어버리고 새로운 날씨를 맞이할 것이다.

바로 봄이란 계절을 여름이란 계절을 가을이란 계절을 그리고 돌고 돌아올 내 겨울이란 계절을 다시 사랑할 수 있을 것 같다.

그와 함께 보내는 사계절이 새롭고 설렘이길 바라며 마지막 겨울이라는 말과 함께 그동안 슬펐던 내 겨울을 떠나보낼 것이다.

지금까지 고생했다는 말과 함께.

꽃밭

꽃들이 가득한 꽃밭에서 나를 위해 나만 보며 사진을 찍어 주던 그 사람.

너무 아름다웠던 꽃들 사이에서 뭐가 그리 좋은지 나는 웃고만 있었다.

그와 둘이 함께 있다는 것이 그리도 좋았던 걸까.

그가 찍어준 사진 속엔 내 웃는 미소만 가득했다.

내가 가장 행복할 때 웃는 모습이 담긴 사진들만 가득했다.

그게 그와 있을 때 내 모습이다.

싱그럽게 활짝 웃어 기뻐하는 내 모습이.

사진

우리 둘이 찍은 사진 수 백 장. 그 속에 하나 슬픈 표정 짓고 화난 표정 지은 사진 없이 그저 해맑은 표정으로 찍힌 나와 그의 사진들. 추억으로 남는 건 사진뿐이라 나를 위해 사진을 많이 찍어준 그 사람에게 행복하게 해줘서 너무 소중한 내 기억을 만들어줘서 고맙다는 말들과 함께 우리의 사진은 영원히 기억하자고, 간직하자고 전하고 싶다. 너무 행복했던 시간들을 뒤로하고 힘이 들고 지칠 때 한 번씩 꺼내 보면 될 우리의 추억이 담긴 사진들. 그 사진을 남기게 해줘서 고마운 내 사랑.

미소

생각만 해도 미소가 나오는 사람이 있다.

나에게도 그런 사람이 생겼다.

그래서 너무 행복한 요즘을 보내고 있다.

그와 함께 있을 땐 내 웃음이 끊이질 않았고

그저 좋고 행복해서 웃음 날 일들이 더욱 많아졌다.

그래서 처음엔 어둡기만 했던 내 책들 또한

그의 영향으로 많이 밝아졌다.

드디어 밝은 책들을 쓸 수 있을 것 같다.

앞으로도 행복하기만 한 날들이 가득하기를.

공유

모든 걸 공유하고 얘기하고 생각한다. 지금 무슨 생각 중인지 무슨 일이 있는 건지 항상 나에 대해 궁금해하고 걱정해주는 사람이 있다. 그런 소중한 그에겐 나는 모든 걸 공유하고 얘기해 주고 있다. 하루를 공유하고 같이 있는 시간을 공유하고 같이 먹는 음식을 공유하고, 그렇게 나누어 보다 보면 언젠가 내가 찾던 사람이 그 사람이 맞구나 하고 생각한다. 그 어떤 걸 내어줘도 아깝지 않을 그 사람이.

그

마음 열기 어려운 나에게 조심하게 다가와 나의 마음을 열어 준 한 사람이 있다. 다치고 아픈 곳이 많아 누구에게도 마음을 열기 어려웠었고 나의 부정적인 생각으로 가득 찬 마음에는 생각을 바꾸기 어려웠는데 그런 나를 바꿔준 한 사람이 있다. 나를 너무 소중하게 대해주고 사랑스럽게 바라봐 주고 행복하게 해주고 좋은 곳을 데려다주고 뜻깊은 시간만을 선물해 준다. 이렇게 어른스럽고 남을 먼저 위할 줄 아는 그런 사람. 어느 날 내 앞에 갑자기 나타난 그 사람 우리가 운명이길 인연이길 바라면서 하루하루를 보내고 있는 지금이다.

정말 불행한 일들만 있는 건 아닐 거라던 내 친구의 말이 떠오른다.

언제나 불행한 삶만 있는 것이 아니고 지금 내가 누리는 이 행복이 행복이란 걸 깨닫는 순간 나에게도 행복이 올 거라고 했다.

친구의 말이 맞았다.

내가 가진 이 모든 게 행복이라는 것을 깨달은 후 작은 것 하나하나 모든 것에 감사함을 느끼고 행복함을 느끼며 살고 있다.

언제나 불행한 삶만은 있을 수 없다.

시간이 흐르고 내가 그 시간을 버티면 행복해져 있는 나를 발견할 수 있을 것이다.

이러려고 내가 힘들었구나.

더 큰 행복을 누리기 위해 불행했던 것이구나라고 조금만 더 참고 기다려보자.

분명 행복한 일들만 가득한 삶들이 오게 될 거니까.

시간이 흐르면

시간이 흐르면 모든 것들이 잔잔해진다. 잔잔해진 후 생각해 보면 별일도 아니었던 일들이었구나 하는 순간도 있고 그래 그럴 수 있던 일이었지 하는 순간들도 있다. 큰일이든 작은 일이든 그 기준은 오롯이 본인이 정하는 것이기에, 그 누구도 그 아픔에 손을 댈 수 없고 평가를 할 수 없다. 그러니 온전히 그 아픔을 받아들이고 시간이 흐르길 바라는 수밖에 없다. 시간이 흐르면 분명 그때 겪었던 고통이란 감정은 없어지고 행복까지는 아닐지라도 평범해질 수 있을 만큼 나아질 테니까.

햇빛

햇빛은 밝고 따사로운 감정이다. 햇빛이 밝게 비추면 덩달아 나까지 기분이 밝고 좋아진다.

나는 밝은 날을 좋아하는 게 분명하다.

내 기분도 햇빛처럼 따사롭고 밝아졌다.

이 책을 쓰는 지금에도 나는 행복한 기분을 느끼며 책을 적어 나가고 있다.

이 기쁨이 읽는 사람들에게도 전해졌으면 하는 마음이다.

다신 사랑하지 않을 다짐

너는 나에게 상처를 주려고 온 걸까

행복을 주려고 온 걸까

분명 같이 있으면 행복한데 왜 항상 너에게 불안해하고

널 좋아하는 게 너무 힘들고 그랬을까?

난 말이야 너에게 했던 사랑만큼 다른 사람 만나도

그렇게 하진 못할 것 같아.

다신 사랑을 못할지도 모르지

사랑이란 건 없다고 생각이 될 만큼 아프거든.

한때는 전에 받은 상처 때문에 사랑이란 걸 다시는 하지 못할 줄 알았다. 항상 사랑은 처음은 다르지만 끝은 똑같은 그런 못된 감정이라고 생각했다. 다신 사랑을 하진 못할 것 같다는 생각도 다르지 않았다. 하지만 모두 내 섣부른 판단이었으며 내가 생각했던 것보다 느리게 아니 어쩌면 빠르게 사랑이 찾아오기도 했다. 이번 사랑은 전에 받은 상처만큼 부디 아프지 않길. 또 똑같이 끝나서 내가 무너지거나 상처받아 도돌이표 돌듯이 똑같은 하루를 보내지 않기를 바라고 바라본다. 나 또한 이 사람을 힘껏 사랑하겠지만, 그건 달라지지 않을 테지만 우리의 끝은 정말 행복하고 좋은 결말이었으면 하는 그런 바람이다. 내 소원이기도 하다. 이 사람과의 행복한 결말, 바로 그거다.

사랑

나는 언제나 사랑받는 사람이고

내 옆에는 날 사랑해 줄 사람들이 있다.

제발 치료가 잘 돼서 아빠 엄마 앞에서

실컷 웃고 나 행복하다고

잘 산다고 보여줘야지.

내 손목을 보호해야지, 잘 살아야지, 강해져야만 한다.

내가 썼던 글귀처럼 나는 언제나 사랑받는 사람이며

내 옆에는 날 사랑해 줄 사람이 있다.

그건 지금도 마찬가지다.

지금 와서야 실컷 웃고 잘 산다고 말할 수 있는 날이 왔지만 이제까지 참 많은 시간이 걸렸고 많은 경험들을 했다.

엄마, 아빠

나 이제 잘 살고 너무 행복하게 지내고 있어.

너무 다행이지?

밝은 날

밝은 날은 언제나 한꺼번에 온다.

그래서 이 행복이 오래가기를 바라면서도 또 언젠가 깨질까 불안해지기도 한다.

밝은 행복이라는 감정이 영원하지는 않을 테니까 영원하지 않더라도 이 행복이 지나가더라도 내 마음이 무너지지 않고 굳세게 일어날 수 있도록

언제나 마음가짐을 굳게 가지며 악착같이 살다 보면 행복이 지나가도 내 마음이 무너지지 않는 날들이 오겠지. 언제나 밝은 날만 가득한 건 아니니까. 기대는 하지 말되 현재를 즐기자.

어둠

어둡고 캄캄했던 암흑밖에 없던 내 미래에

한줄기 빛이 되어 나타난 한 사람.

내가 혼자 남을 거라는 걱정도 안 들게 만드는 한 사람.

언젠가 꼭 바라고 바랬던 사람이

내 삶에 들어온 후부터는

어둡고 캄캄했던 내 암흑 같던 미래는

밝고 화창하게 피어올랐다.

그게 어둠으로부터 벗어난 날이었다.

맑음

지금의 나는 맑고 밝고 화사한 색을 가진 내가 되었다. 이렇게 되기까지 수많은 노력과 시간이 필요했다.

그리고 그 시간이 헛된 시간이 아니라고 생각이 들 만큼 지금의 나는 너무 행복하고 즐겁다.

이 모든 게 내 세상에 한 사람이 들어왔기 때문이다.

내 세상에서 자유롭고 행복하게 모든 걸 누리다가 계속 행복만 해졌으면 좋겠다.

꼭 그렇게 되길 바라면서 앞으로의 행복을 기대해 보자.

밝음

밝아진 내 모습을 보며 오늘도 글을 적어본다. 항상 어두울 것 같았던 내 세상에 밝은 빛이 생겼다.

그 빛이 생긴 후부터는 내 세상도 행복해질 수 있구나 하는 색다른 생각이 들었다.

정말 좋은 기분이었다.

이제부터 내 세상은 밝음이다. 모든 것들이 밝고 아름다운 순간들이 생겨날 테니 말이다. 그렇게 바라고 바랬던 행복한 순간들이.

산책

이곳저곳을 같이 손을 꼭 붙잡고 산책을 한다. 가는 길이 어디든 붙어있는 손은 놓치지 않고 꼭 붙잡고 있는다. 어디를 가도 내 손을 놓지 않고 걷는 그를 나는 사랑한다. 사랑이란 걸 두 번 다시 못하게 될 줄 알았던 나였기에 이런 모습에도 가슴이 따스한 그런 사랑을 느낀다. 어디를 가든 서로 꼭 붙잡고 있는 이 손은 놓치지 않고 영원하기를.

사랑

사랑이라는 단어는 과거형이었다가 현재형으로 다시 되돌아온다. 사랑했다는 과거 사랑한다는 현재 그리고 앞으로도 사랑할 것이라는 미래형. 나의 사랑은 현재형과 미래형이다. 앞으로도 내가 할 수 있을 만큼 사랑을 줄 것이고 둘이 같이 깊은 사랑을 할 것이다. 부디 과거형으로 머무르게 되는 그런 사랑이 아닌 미래형으로 이어지는 그런 길고 긴 사랑이 되었으면 하는 바람이다. 내 바람이 이루어지기를 또 꿈꾸어 본다.

미래

그와의 행복한 미래를 그려보기도 한다.

현재가 중요하다는 걸 알지만 그럼에도 그 사람과는 행복해서 웃고 있는 미래가 그려지고 떠올려진다.

내가 불안해서 앓고 있을 때면 내가 조금이라도 표정이 좋지 않으면 무슨 일이냐며 무슨 일 있는 거냐며 걱정 섞인 물음에 온 걱정은 언제 있었냐는 듯 사라진다.

나는 그 점이 좋다. 걱정 없이 미래를 생각할 수 있게 만드는 그 사람과의 미래가 좋다

거리

서로의 거리가 얼마나 걸리든 한걸음에 달려와주는 한 사람이 있다. 항상 멀리서 오느라 힘들었을 텐데 힘든 기색 없이 밝은 미소만 떠올려주는 한 사람을 위해 나는 또 밝게 웃고 서로가 행복한 하루가 되기 위해 이것저것 못 해본 것들을 해본다. 모든 게 색다르다 모든 게 새롭다. 거리가 얼마나 걸리든 무엇이든 다 해줄 것만 같은 사람에게 항상 너무나 고마운 일이다.

반지

처음으로 직접 만들어보는 반지. 꼭 해보고 싶었던 반지 만들기였는데 하고 싶다는 말에 바로 하러 가자던 그 사람.

반지가 새로 생겨서 좋은 것보단 그 사람과 새로운 걸 경험해 봤다는 것에 너무 좋았다.

이제 우리도 예쁘고 소중한 새 반지가 생기겠지만 뺄 일 없도록 지켜내는 것 또한 중요하다.

앞으로 소중하게 대해줄 또 하나의 반지가 생겨서 너무 좋았다. 좋은 경험이었다.

그와 함께 했던 모든 순간들이.

일기

나는 매일 일기를 쓰는 습관이 있다. 그래서 그와의 하루를 매일 기록해가며 그때그때 드는 생각들을 일기에 기록하고 있다. 나중에라도 잊히지 않도록 소중한 추억들을 저장하는 나 혼자만의 방법이기도 하다. 소중하고 아름다운 기억들이 잊히는 게 싫어서 적는 것이기도 하다. 언제라도 읽고 싶을 때 다시 읽어보면서 그때의 추억을 떠올리기 위해서라도 나는 혼자 일기를 계속 적어 나갈 것이다. 우리의 추억을 위해서.

그 사람과의 일기

어제는 그 사람과 만났다. 내가 아는 여느 사람들처럼 똑같지 않았다. 참 신중하고 또 진지하고 어른스러운 사람 같았다. 말이 많지 않았지만 같이 있을 때 재밌고 진짜 어른인 것 같았다. 이런 사람하고 만나면 좋을 수도 있겠다는 생각이 들었다. 그리고 더 친해지고 싶고 더 만나고 싶었다. 천천히 알아가면 되겠지? 또 누군가를 좋아하고 사랑하는 건 자신이 없지만 좋은 사람이었으면 좋겠다. 내 얘기를 잘 들어주고 공감도 해주고 나를 함부로 대하지도 않았다. 그런 점들이 좋았고 엄청 신중했던 사람이라서 모든 게 처음 느껴보는 그런 감정이었다. 나랑 잘 맞았으면 좋겠고, 더 오래 보고싶다.

그 사람과의 일기2

오늘도 그 사람과 만났다. 그 사람과 같이 있으면 편하고 내 진짜 모습이 나온다. 그리고 그 사람은 날 소중하고 따뜻하게 대해준다. 함께 있으면서 전 사람 생각도 안 나고 이 사람과 뭘 하면 더 좋아질 수 있을지 생각만 난다. 그래서 더 좋다. 이 사람도 나를 그렇게 생각해 줬으면 좋겠고 앞으로 좋은 감정을 가지고 만나기로 했으니 행복한 날들만 있었으면 좋겠다. 부디 전 같지 않기를. 내가 또 부정적인 나로 돌아가지 않고 지금처럼 행복만 했으면 좋겠다. 더 오래 자주 보고 싶다. 좋다.

그 사람을 만나고 난 후 쓰기 시작한 일기의 일부분이다.

첫 만남부터 썼던 일기여서 꽤 자세하고 솔직하게 적기도 했다. 병원에 있었을 시절에 썼던 일기와는 전혀 다른 분위기의 일기이기도 하고 긍정적인 내용이 대부분이어서 나 또한 읽을 때마다 기분이 좋아지기도 한다.

그때의 기분이 생각나서 더욱 생생하기도 하고 내가 정말 그 사람을 좋게 생각했구나 하고 다시 한번 느끼게 된다.

아 이게 좋아하면 생기는 감정인 거구나 하고 다시 한번 생각하게 되는 지금.

단단하게

단단하게 사랑하기로 마음먹었다.

흔들림 없이 단단하고 믿고 의지할 수 있게 서로가 잡은 손은 놓지 않고 꼭 붙잡고 있고 싶다는 생각을 했다.

그렇게 단단하게 쌓인 사랑은 그 어떤 작은 감정들이 충돌을 하더라도 쉽게 깨지지 않고 굳게 굳어 사랑을 더 쌓아 나갈 수 있겠지.

그렇게 되도록 쉽지 않겠지만 노력해 볼 거고, 그렇게 되도록 할 것이다.

변화

나에겐 큰 변화가 생겼다. 책의 나온 첫 부분에서 내 상처를 감싸 안아주고 굳건하게 믿어주는 나의 사람을 만나고 싶단 말을 썼는데 정말로 그런 사람을 만나게 됐다. 그를 만난 후 내 삶의 변화가 많이 생긴 것 같아 신기하기도 하다. 그는 내 사정을 다 알고도 나를 좋아해 줬으며 사랑을 주기도 했다. 내가 무슨 일이 없기를 바래주고 항상 내 걱정을 해주고 불안하지 않게 항상 옆에 있어준다. 그로 인해서 내 삶은 정말 많이 좋게 바뀐 것 같아서 만나는 사람이 정말 중요한 거였구나를 깨닫고 있는 요즘이다. 이런 긍정적인 기분을 계속해서 느끼고 싶고 나 또한 그에게 실망시키는 일 없이 큰 보답을 해주고 싶기도 한 생각이 들었다.

과거의 기억

나에겐 안 좋은 과거의 기억들이 많았다.

하지만 지금은 그 부정적인 생각들이 나를 지배하는 것이 아니고 그 고통 속에서 벗어나서 행복한 나날들을 보내고 있다.

이렇게 시간의 힘을 믿으며 버티고 버티다 보니 나에게도 꽃 피울날이 왔고 내가 그동안 책에 썼듯이

시간이 지나면 무슨 고통이든 지나가게 되어있다는 말처럼 정말 그렇게 되기도 했다.

그래. 이렇게 버티다 보면 언젠가 행복한 날들이 연속으로 일어나기도 한다.

그걸 믿으면서 지금 힘든 순간들을 이겨내보도록 하자.

분명 할 수 있을 것이다.

홀로서기

홀로서기가 힘들었던 만큼 정말 많은 노력들이 필요했다. 혼자만의 시간을 보내기도 하고 곁에 어느새 좋은 사람이 생겨 둘만의 행복하 시간을 보내기도 했고,

그 사람과 좋은 감정으로 좋은 만남을 하다 보니 힘들어했던 시간은 지나갔으며, 나에겐 햇빛이 찬란한 밝고 화사한 날만 가득해졌다.

앞으로도 이런 삶이 지속됐으면 좋겠다는 생각을 가지며 하루하루를 감사함을 가지며 살아가고 있다.

숲

숲속에 들어가 걷기도 했고, 여러 사진을 찍으며 자연의 향기를 느끼기도 했고, 아름다운 나무들과 꽃들, 그 사이를 날아다니는 나비들 날씨마저도 밝아 모든 게 완벽했던 그날. 그날을 잊을 수 없을 것 같다. 잊을 수 없는 날을 만들어준 그 사람에게도 고마워해야겠지. 하루하루 나를 위해 좋은 곳을 데려가 주고, 나를 위한 사진을 찍어주고 나를 위한 시간을 만들어 주는 한 사람 덕분에 많은 것이 바뀌고 있음을 느끼는 요즘이다. 그래 숲속의 맑은 공기처럼 내 인생도 맑아지기 시작한 날이다.

다른 사람

다른 사람을 만나봐도 다 그저 그랬었다. 하지만 이 사람과는 느낌이 아예 달랐다. 나보다 훨씬 어른스럽고 진지하고 신중한 사람이었다. 그래서 그 점이 너무 좋았다. 날 어른스럽게 만들어 줄 것 같았고 나도 배울 점이 많을 것 같다는 생각이 들었다. 그래서 좋은 사이가 되고 싶었다. 내 소원대로 다른 사람을 만나도 더 이상 그 사람 생각 따윈 나지 않았고, 앞으로 이 사람과의 미래가 어떻게 될까 그런 긍정적이고 밝은 미래만 생각이 났다. 나에게도 이런 날이 나타나다니 너무 좋았고 행복만 했던 날들이었다. 분명 기다리다 보면 생긴다고 내 책에도 썼듯이 내 말이 맞았던 날이었다.

향기

좋은 향기가 나던 사람이었다.

특별히 진한 향수를 뿌린 게 아니었는데 살냄새가 너무 좋았던 사람이었다. 그런 향기를 가진 사람을 계속해서 옆에 두고 싶었다. 좋은 향기가 나는 사람.

이제 이 향기로 그 사람이 옆에 없더라도 계속해서 기억하겠지만 계속해서 맡고 싶고 옆에 있고 싶은 그런 향기였다.

부디 그렇게 될 수 있기를.

눈 감아도

눈 감아도 떠오르는 사람.

지금 이 글을 쓰고 있는 순간에도 생각나는 사람.

글을 쓰는 게 행복인 나에게 글을 쓰면서도 더 행복해지게 만들어 주는 그런 사람.

항상 다정하고 세심하게 날 챙겨주는 사람.

내가 아프거나 힘들어하면 걱정부터 해주는 사람.

내가 필요한 걸 말 안 해도 알아주는 사람.

그런 사람이 옆에 있다는 건 큰 축복이다.

바람

바람이 불어도 이리저리 휘날려 뒤엉켜도 우리 둘만은 뒤엉켜 헤매지 않기를.

바람이 불어도 우리 둘은 꼭 자리를 찾아 다시 되돌아오기를.

바람이 불어도 그 바람에 휩쓸려 날라가지 않고 우리 둘을 찾아 제자리로 돌아오기를.

바람이 불어도 많은 일이 있고 많은 문제들이 생겨도 우리만은 잊지 않고 원래 자리로 돌아오기를.

그렇게 바람에 바라고 바라는 것.

제자리

원래의 어둡고 우울했던 원래의 나로 돌아가기는 싫다. 지금의 내모습이 만족스럽고 너무 좋다. 그래서 예전에 모습들을 잊으려고 노력 중이다. 힘들었던 만큼 잊기 힘들었던 내 모습들이었지만 지금의 행복한 내 모습이 영원하길 바라며 예전 모습들은 차근차근 버려두려고 한다. 과거는 과거의 두고 오라는 내 책 처음 부분에 써 있듯이 역시 과거에 두고 오는 게 맞는 말인 것 같다. 그래서 나는 과거를 과거에 버려두고 현재를 열심히 살아가보려고 한다. 부디 과거는 과거에 버려두고 현재를 살아가는 우리가 되어보도록 하자.

불안

행복한 만큼 불안함도 커져간다.

항상 행복하리라는 법은 없듯이 언젠가 찾아올 불안함에도 대비를 해야 한다.

불안함은 어쩔 수 없이 따라오는 그림자 같은 존재이다.

그러나 이 불안함을 잠재워줄 방법을 찾는 게 최우선이다.

우선 행복한 현재를 즐기는 것 또한 방법이다.

현재를 즐기고 과거는 잊고 미래는 불안하고 알 수 없겠지만 이 미래에도 언제나 불행하리라는 법은 없으니까 그렇게 큰 걱정을 하지 않아도 되지 않을 까 싶다.

우선 현재를 즐겨보자.

무지갯빛

내 마음의 색은 무지개 빛이다. 무지갯빛이 피어났다.

이 무지갯빛이 영원하기를 바라면서 내 소원을 하나하나 비는 중이다.

또 하나의 소원은 내가 책을 계속 써 내려가는 것이고,

또 하나의 소원은 이 사람과 행복한 현재와 미래를 꿈꾸는 것이다.

또 하나의 소원은 내가 행복해진 모습을 만족해하며 날 바라봐 주시는 부모님의 행복이다.

이 무지갯빛을 가진 소원이 모두 이루어지면 너무 좋겠다는 생각과 함께 책을 계속해서 써보려고 한다.

이 책을 쓰는 동안 너무 행복했기에, 앞으로의 행복을 이어나 가려 보려고 한다.

수국

나는 이제 다른 의미로 수국을 다시 좋아하게 될 것 같다.

그 사람이 선물해 준 하얗고 푸르른 수국을 보며 행복해하는 나를 보며 나는 다시 수국을 좋아하겠구나 싶었다.

역시 소중한 사람에게 받는 수국은 기분이 정말 너무 따사로워서 좋을 수밖에 없는 것 같다.

변심이라는 꽃말을 가진 수국을 미워했던 내 마음은 어느새 사그라들어 이 수국을 소중히 다루고 열심히 다뤄야겠다는 다짐을 했다.

정말 소중한 수국이었다.

여행

언제나 여행을 가는 길은 설레고 기분이 좋다.

혼자만의 여행도 좋지만 소중한 사람과 함께 가는 여행이란

더 좋은 추억을 만들 수 있어서 좋은 게 아닐까 싶다.

여행을 떠나서 좋은 추억을 만들고

수백 장의 사진을 찍고

아름다운 풍경과 배경을 눈으로 담고

그 풍경과 배경을 머리로 기억하고

이렇게 추억을 쌓아가는 것이다.

진정 힘이 필요할 때 힘이 들어 기분전환이 필요할 때

그때가 바로 여행을 떠나야 하는 시기가 맞지 않을까 싶다.

기분전환

기분전환이 필요할 땐 무엇을 하면 좋을까 생각을 해봤다.

우선 가까운 동네 산책을 하며 러닝을 뛰는 것도 좋고,

그저 아름다운 날씨에 천천히 여유를 가지며 걷는 것도 좋고, 밤하늘에 떠다니는 별과 달을 보며 사진을 찍는 것도 좋고, 시원한 거리에 좋아하는 음악과 함께 걸어 다니는 것도 좋다.

이렇게 생각해 보면 기분전환을 할 수 있는 건 무수히 많다.

이렇게 많은 방법으로 기분전환을 하는 것, 꼭 필요한 필수 요소이다.

바다

바다는 언제나 갈수록 좋은 곳이다.

힐링이 필요할 때 바다를 가곤 하는데

바다 모래에 이름을 적어 장난을 치는 것도,

파도가 일렁이는 바다를 사진에 남겨보는 것도,

바닷바람을 맞고 한없이 걸어 다니는 것도.

얕은 바다에 발을 담가 모래의 느낌을 느끼며 걷는 것도

바다가 주는 힐링이다.

그렇게 바다가 주는 힐링에 감사함을 느끼며

기분전환을 하는 것, 그런 것.

사랑하는 사람

사랑하는 사람들을 위해 글귀를 적어보는 것.

내가 하는 유일한 힘이 되는 일 중 하나다.

글귀를 적음으로써 나의 생각이 전해지고

글귀를 적음으로써 나의 마음이 정리가 된다.

그렇게 글귀들을 적으며 마음의 안정을 찾고

책을 완성시키며 보람을 찾는다.

그런 일쯤은 한번은 해보는 것.

사랑하는 사람들을 위한 글귀를 써보는 것.

추억

소중한 추억을 책에 담고 어느새 3권의 책을 완성했다.

내 힘들었던 과거들을 책에 담고 담다 보니 어느새 3권이라는 책이 생겼다. 나는 앞으로도 계속 책을 쓸 것이며,

이번에는 정말 소중하고 사랑하는 사람들을 위한 글귀들을 많이 적음으로써 내 마음이 잘 전달됐으면 하는 바람에 책을 완성시켜 보려고 한다.

앞으로도 내가 좋은 추억들을 계속 쌓을 수 있게 좋은 추억들을 많이 만들고 책에 담을 수 있게 그렇게 살아보려고 한다.

책

책이 주는 힘은 대단하다고 볼 수 있다.

뜻이 담긴 단어들과 글귀들.

여러 가지 마음이 담긴 내 책 속에 글들

소중한 생각이 쓰인 그동안의 내 책들

생각날 때 마다 읽어보며 힐링을 가졌으면 좋겠다.

많은 사람들이 보며 공감을 얻고

마음의 힐링을 가졌으면 좋겠다.

꼭 그렇게 됐으면 좋겠다.

마음가짐

마음가짐을 달리하면 모든 게 변화한다.

마음가짐을 여유롭게 가지면 여유로워지듯이

생각의 틈을 넓혀 더욱 여유로운 우리가 되어보도록 하자.

이 책 또한 여유롭고 아름다운 마음으로 읽었으면 한다.

모두들 마음가짐을 아름답게 가지며

또 한 번 성장할 수 있음에 감사하며,

그렇게 마무리를 짓도록 할 것이다.

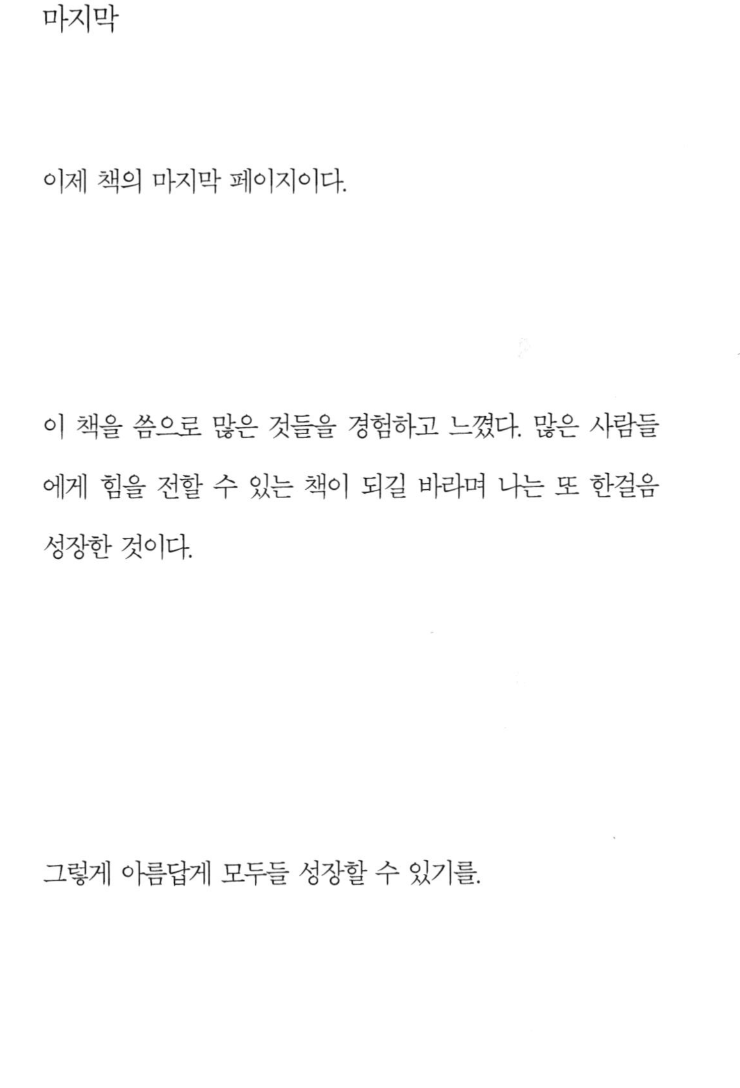

마지막

이제 책의 마지막 페이지이다.

이 책을 씀으로 많은 것들을 경험하고 느꼈다. 많은 사람들에게 힘을 전할 수 있는 책이 되길 바라며 나는 또 한걸음 성장한 것이다.

그렇게 아름답게 모두들 성장할 수 있기를.

모두들 제 책을 읽고 좋은 감정을 가지며 끝을 냈으면 좋겠습니다. 이 책은 모두의 세상이었습니다.